Popcorn Melody

Du même auteur

Aux Éditions Héloïse d'Ormesson
La Disparition du nombril, 2014.
Une sainte, 2013. Le Livre de Poche, 2015.
Héloïse est chauve, 2012. Le Livre de Poche, 2014.
Le Joli Mois de mai, 2010. Le Livre de Poche, 2014.

Aux Éditions Naïve
La Femme à modeler, 2012.

Aux Éditions Ramsay
Les Pendus, 2008.

Aux Éditions du Rocher
Chute Libre, 2007.

Aux Éditions du Cherche Midi
Les Amants terrestres, 2005.

Émilie
de Turckheim

Popcorn Melody

Éditions Héloïse d'Ormesson

Roman

© 2015, Éditions Héloïse d'Ormesson

www.editions-heloisedormesson.com

ISBN 978-2-35087-329-9

À Fabrice

Toutes choses balayées
Voilà – l'immensité –

Emily Dickinson

All things swept sole away
This – is immensity –

de pied de bœuf, tout élimé, sali d'une vieille trace de sang en forme de cœur, quand il s'est redressé bien droit, a ordonné en tailleur ses fines jambes, et sans même ouvrir les yeux, d'une voix ankylosée par l'alcool : «Vas-y, paroles!» Je lui ai avoué que moi-même, je n'étais pas un grand bavard, mais que s'il avait envie de me parler de quelque chose, de la nuit blanche qu'il avait passée, de ses soucis, il avait choisi le meilleur endroit de Shellawick pour poser ses fesses. Il avait une clé de sol tatouée dans le cou, mal faite, baveuse, le genre qu'on se bricole en prison avec un stylo et une aiguille. Je lui ai demandé s'il était musicien et il a aboyé : «Paroles! Toi! Paroles!» C'est seulement à cet instant que j'ai remarqué un grand couteau à manche de métal et de corne, dont il faisait glisser la lame le long de son poignet, sous sa manche, et qui ressortait étincelante, comme s'il l'avait briquée. J'ai glissé la main au fond d'une poche et j'ai senti sous mes doigts la pierre lisse qui vivait là, et sa douceur, sa tiédeur, sa forme familière m'ont immédiatement apaisé.

L'Indien – le *Grandpa* comme on dit dans le désert – s'est lancé dans un discours pâteux, incompréhensible, où revenait sans cesse une histoire de bêtes massacrées – *soixante millions de bêtes massacrées*. Il accompagnait sa tirade cotonneuse de rapides gestes circulaires au bout desquels la lame devenait transparente. Je fouillais l'air des yeux pour la voir tourbillonner autour de lui, mais seule une étincelle s'allumait par intermittence dans le vide. Plus il parlait, moins le Grandpa semblait saoul. J'ai compris qu'il s'appelait Okomi, qu'il voulait que j'écrive les paroles d'une chanson pour son groupe de musique composé d'un flûtiste, d'un joueur de crécelle et de tambour, et de lui-même, qui chantait et jouait du hochet. Il a sorti de sa poche une sorte de maracas à tête de cuir et l'a agitée dans l'air, par saccades. Elle semblait remplie de clous et j'ai su, sans réussir à capturer mon souvenir, que j'avais déjà entendu ces secousses granuleuses quelque part. Il a crié que je devais fermer les yeux et écouter le martèlement des sabots sur la prairie… Il a rangé le hochet et m'a dit qu'à Tahoneck, on lui avait parlé de moi, on lui avait assuré que le type de la supérette de Shellawick était écrivain. Okomi était parti à 5 heures du matin de Tahoneck et avait traversé 14 miles de désert noir à pied, une bouteille de Dry Corny dans une poche et un couteau dans l'autre. Il avait fait tout ce chemin pour me rencontrer. Un peu bêtement je lui ai dit merci.

«Toi, t'écris des poèmes, des pas longs.

– Ouais… Dès qu'un client passe la porte, j'écris trois lignes sans réfléchir. J'les écris dans un annuaire téléphonique… J'aime bien écrire sur quêque chose de déjà écrit. Mes poèmes, c'est des espèces de haïkus, c'est pour attraper les trucs au vol.

– C'est bien. Écris les paroles.»

Il tenait son couteau par la lame et me menaçait avec le manche.

«D'accord, mais tu veux qu'elle parle de quoi, ta chanson?

– Travail à l'usine.

– Le travail à l'usine? T'es sûr? Ça va plaire aux gens, ça?

– Ça va leur plaire.

– Tu préfères pas aute chose… Sur l'amour? Sur les chagrins d'amour? "Reviens, bébé, j'ai l'blues"… Tu sais, 90% des chansons disent "reviens, bébé, j'ai l'blues"… Le travail à l'usine, ça peut pas faire une chanson…

– Travail à l'usine.

– C'est ta chanson, l'ami!»

Okomi s'était levé et se penchait vers moi, qui écrivais aussi lisiblement que possible sur une page d'annuaire téléphonique. « C'est l'titre, ça ? C'est un bon titre. » Ses mains tremblaient. Quand je terminais une ligne, il la piquait avec la pointe de son couteau. Il voulait que je parle de la puanteur du caramel qui vous soulève l'estomac et vous poursuit jusque dans votre lit, et du boucan, à devenir sourd, quand les grains de maïs explosent par millions dans les fours géants, comme un orage de grêle sur le désert de Tahoneck. Il fallait aussi un couplet sur les gants en plastique qui vous coupent le sang aux poignets, vous démangent comme la gale et finissent troués, fondus par l'huile alimentaire bouillante. Il a gratté sa lame sur le comptoir. Il ne fallait pas oublier non plus la chaleur à crever le long des tapis roulants où sursautent les petites cervelles, les grains de maïs éviscérés par la cuisson. La lame brillait de colère, elle s'aiguisait dans la lumière d'août.

J'ai écrit un refrain et quatre couplets. Okomi a lui-même déchiré la page d'annuaire et l'a fourrée au fond de sa poche, en la bourrant avec son poing. Il s'est levé, il a fait plusieurs fois le tour du vieux fauteuil en frappant des pieds par terre et en chantant très fort, et il s'est effondré comme un sac de grains. Il a ramassé son couteau et a marmonné : « Je dis pas merci. » Effectivement, il est parti sans me remercier, sans même m'avoir acheté une canette de Kansa-Cola ou un ruban tue-mouches Bziter.

POUR UN ÉTRANGER DE PASSAGE, le Pierrier était raide mort, couleur de suie. Mais pour nous, il était vivant, il soufflait, il mâchait tout au long du jour le soleil entre ses cailloux et le recrachait brûlant en pleine nuit. Selon l'heure, il avait mille espèces de noir, et comme une mère qui reconnaît chacun de ses petits, nous savions reconnaître tous les noirs du Pierrier. Nous étions nés dans ce noir innombrable, dans la moelle même de la couleur noire, au milieu du désert de Tahoneck. Au printemps, les orages de grêle grondaient dans nos os. Nous n'avions jamais peur des tornades, nous les regardions sucer les cratères et valser sur notre lune noire étincelante de quartz, comme nos parents les avaient regardées. Personne ne s'était jamais plaint d'avoir à monter dans les «paquebots», ces bus bleus en sueur où la poussière collait à la nuque et aux mollets, pour traverser le Pierrier et se rendre à Cornado, à 30 miles au nord, dans l'usine de pop-corn Buffalo Rocks qui employait la moitié des habitants de Shellawick et des patelins voisins – Tahoneck, Princebourgh, Pessahee, Dundrove et New Paselina. Personne ne voulait partir d'ici. Nous vivions dans le calme noir, au milieu des pierres précieuses, affûtées comme des lames.

Pourtant, petit à petit, Shellawick s'est vidée. On a d'abord accusé le soleil de chauffer de plus en plus fort et de nous écraser exprès sous ses pouces éblouissants. On a aussi accusé le Pierrier de jouer aux billes avec les cailloux, sur la route qui relie Shellawick à Cornado, pour forcer les employés à descendre des paquebots et à déblayer la chaussée, doublant ainsi leur temps de trajet jusqu'à l'usine de pop-corn. Évidemment, on a aussi accusé les tornades de nous narguer de leurs longs corps fourbes soulevant la poussière du désert et la saupoudrant sur Shellawick qui n'avait plus qu'à passer le balai en courbant le dos. Mais aucune de ces raisons venues du ciel n'était la bonne. En réalité, la ville s'est vidée quand les trois snack-bars ont fermé. Quand la pizzeria a fermé. Et aussi le bowling où l'on mangeait les meilleurs beignets de maïs du désert, dans un sachet imbibé d'huile à frire, qui virait du blanc au gris glacé. La ville s'est vidée comme un sablier qu'on renverse – grain à grain, sans faire de bruit. Les gens sont partis vivre à Cornado, à côté de l'usine Buffalo Rocks, et derrière eux, ils ont abandonné leurs chiens. Si on avait demandé à ceux qui ne fuyaient pas pourquoi ils tenaient à rester à Shellawick, ils auraient répondu : «Pass'que chu' né là, pauve crêle!» Certains auraient juré qu'ils restaient juste pour la beauté du Pierrier. Et d'autres auraient dit qu'ils restaient pour emmerder les *jaunes*, les rois du maïs ; je faisais sûrement partie de cette dernière catégorie.

On trouvait dans Shellawick deux ou trois épiceries dégarnies, mais mon magasin était le seul qui méritait le nom de super-marché, grâce à mes deux caddies, ma colonne de paniers haute comme un plan de maïs, et mes quatre allées remplies de produits qui permettaient de vivre vieux et heureux. Je vendais tout ce qu'il fallait pour ne pas mourir de faim, se laver et tuer les mouches. Quand j'étais petit, il y avait deux autres supermarchés à Shellawick, un tout à l'est de la ville, l'autre plus au sud. Les deux ont mis la clé sous la porte quand l'exode vers Cornado s'est accéléré. Comme le bowling et les snack-bars avaient fermé, les gens organisaient leurs « fêtes de départ » dans mon supermarché.

On se serrait devant la caisse enregistreuse, autour de mon grand fauteuil de barbier, on buvait du Dry Corny, on se bourrait de gâteaux de maïs, quelqu'un prétendait avoir aperçu un coyote en roulant vers Tahoneck, on s'étonnait, on soupçonnait le type d'avoir vu un vulgaire chien, on le rouait de questions pour en avoir le cœur net – mais personne ne faisait allusion au départ de l'un des nôtres, et personne ne prononçait le nom de Cornado, la ville-ogre. Tout le monde savait pourtant qu'à Shellawick les maisons vides devenaient plus nombreuses que les maisons habitées. La poussière encrassait le maillage des portes moustiquaires et couvrait les coussins des balancelles où plus personne ne s'asseyait pour observer le soleil violet se coucher à l'ouest du Pierrier. Les regards étaient tous tournés vers le nord et les hautes cheminées chromées de l'usine Buffalo Rocks.

Matthew Southridge, oxydé comme un trognon de pomme, couvert de taches brunes, ne ratait aucune de ces fêtes de départ. Il fixait d'un regard mauvais ceux qui osaient abandonner Shellawick. Il n'adressait la parole à personne, se bâfrait de beignets et lâchait de temps en temps un commentaire excédé : « Quate fois trop cuit, çui-là ! », « Pas assez d'sucre », « Touré ! Personne sait pus faire un beignet dans ç'te ville de crêles ! » Matthew occupait la seule place assise et ne la cédait à personne. Parfois il s'assoupissait, on aurait dit un mort, les bras raidis le long du corps, rongé par ce grand fauteuil de cuir inclinable et pivotant qui avait appartenu à mon père, barbier de Shellawick, comme son père, comme son grand-père, et comme probablement tous les Elliott depuis l'invention du rasoir coupe-choux.

Mon père n'aimait pas les vantards et pensait que la vie d'un homme pouvait se réduire à un nombre qui résumait le bonhomme mieux que tous les éloges funèbres. Son nombre à lui, c'était le 12 – soit, selon ses calculs, le nombre de miles de barbe qu'il avait taillés dans sa vie. «Mon garçon, fais en sorte de pas avoir honte de ton nombre à la fin d'ta vie. Peu importe que l'nombre soit pas bien gros. Faut pas s'éparpiller. Faut faire avancer ton nombre avec la force qu'la nature t'a fourrée dans l'ventre. Le tout, c'est d'avoir un nombre à faire pousser. Et sur ta tombe, mon garçon, fais pas comme ces toucaneux! Va pas graver ton nom et tes dates comme si t'étais la reine d'Angleterre… Le nombre suffit. Les gentils comprendront et les crêles diront que c'est d'la profanation et qu'y a des règles quand on meurt… mais on s'en cogne les coudes, vu qu'c'est des crêles.»

Sur la tombe de mon père, j'ai fait graver un 12 par un type qui avait quatre incisives cassées et seulement quelques millimètres de dent au bout des gencives, comme les chiens qui ont rongé des os toute leur vie. Derrière une gerbe de postillons, Larry se présentait comme le directeur général des pompes funèbres de Shellawick. Dans sa modestie, il oubliait de postillonner qu'il en était aussi le secrétaire, le balayeur, le comptable et le creuseur de fosses éternelles. Sa femme s'occupait des compositions florales et de l'embaumement des cadavres. Comme le forfait mortuaire le moins cher comprenait la gravure de dix-neuf signes, le directeur édenté m'avait expliqué, calculette à la main, que ce serait un affront pour mon père et un gâchis épouvantable d'inscrire seulement deux chiffres sur la tombe. En trente ans de métier, c'était la première fois qu'on lui demandait de maltraiter un mort. Une pensée lointaine avait obscurci son regard. Il aurait voulu être comédien, un de ceux qui font rire, pas un comédien ennuyeux comme le Pierrier. Il levait les yeux pour voir si je souriais à ses traits d'humour, mais je ne souriais pas. Il racontait ses rêves perdus. Il aurait voyagé de ville en ville, et dans les bars de Pessahee, de Tahoneck, de Princebourgh et de tout le pays, il aurait fait « rire son prochain ». Finalement, son prochain, il avait choisi de le mettre en bière. Tout ça pour ne pas contrarier sa femme qui rêvait d'être thanatopractrice depuis l'enfance. Pour ne pas renier sa nature facétieuse, Larry avait nommé son entreprise Le Vautour qui rit. Sa femme lui reprochait de faire des blagues douteuses aux clients. Si ça continuait, il allait leur faire perdre des morts, avec ses conneries. Il en fallait plus pour décourager Larry qui profitait de chaque nouvelle veuve passant la porte du Vautour qui rit pour s'entraîner. « M'dame Webster ! Maintenant, on pourra plus dire que vote mari nous enterrera tous, pas vrai ? »

Larry gémissait et faisait des grimaces : il fallait absolument que la tombe de mon père soit plus bavarde, sans quoi, dans cinq ans, personne, pas même ma mère et moi, ne se souviendrait du contenu du cercueil. La moindre des choses, le minimum mortel, c'était d'écrire les dates de naissance et de décès de mon père, et son nom de baptême. « Moins qu'ça, c'est s'moquer des gens qui peuvent plus s'défendre ! » À chaque fois que ses fines lèvres se soulevaient pour *faire rire son prochain*, je voyais, dans l'espace noir que formaient les dents manquantes, le fruit du travail de

Larry, une fosse sans fond. Alors je pensais au nombre de Larry, aux miles qu'il avait creusés dans le sol caillouteux de Shellawick. «Creuser des trous et y mettre des morts – quel métier de dure poésie!» m'avait dit M. Takemo, mon professeur de linguistique, quand je lui avais décrit la bouche abyssale de Larry. Oui, chose remarquable pour un habitant de Shellawick, fils de barbier, j'ai étudié quatre ans la littérature et la linguistique à l'université de Princebourgh, à la limite australe du Pierrier, là où les prairies reprennent vie, souffreteuses, par petites flammes vertes. Ces quatre années ont à la fois tout changé et rien changé à ma vie: «N'est-ce pas exactement ce qu'on attend de la personne qu'on aime?» avait déclaré M. Takemo.

«Les morts me font plus peur depuis un bail! J'leur prépare un bon lit, j'les borde, chu' une mère pour eux!» chuintait Larry par son trou noir. J'avais éclaté d'un rire sec et hoqueté comme un disque raillé. Puis j'avais laissé la mécanique du fou rire me secouer par la peau du cou. En voyant l'expression de gratitude effarée sur la gueule de Larry, j'ai su que j'avais eu raison de lui faire plaisir, de faire semblant, comme à l'époque où je devais rire sur commande, sous les spots aveuglants, un paquet de pop-corn Buffalo Rocks à la main. Larry avait postillonné qu'après tout, il pouvait très bien graver un 1 suivi d'un 2 sur la tombe de mon père, et que j'aurais même droit à une remise de 20% pour la sueur épargnée. Je savais très bien que la sueur n'y était pour rien; je devais tout à mon rire. J'étais rentré chez moi soulagé, le cœur léger. Ma mère avait sorti du placard les habits de mon père et les triait en deux tas: d'un côté, ce qui était en bon état et qu'elle donnerait à l'Église, de l'autre, les affaires dont j'hériterais une heure plus tard. Je l'avais observée un moment, par la porte de sa chambre, en faisant rouler mon œil-de-tigre au fond de ma poche. Ses larmes étaient très brillantes. Brillantes comme la cicatrice lustrée qui lui barrait le front. Sa peau avait bruni avec le temps. Son nez d'aigle et ses hautes pommettes semblaient tracés à la règle.

Ce soir-là, j'ai pris ce que j'avais sous la main, un annuaire téléphonique, et sur une colonne de noms commençant par «Lar» comme Larry, j'ai écrit:

Un marchand de chiffres et de lettres
Édenté
À force de croquer les morts

Mon père notait toujours dans un registre le nombre de millimètres de poils qu'il avait rasés dans la journée. L'été, il souriait sous sa grosse moustache rousse quand il voyait entrer dans sa boutique ce genre d'hommes très maigres, typiques du Pierrier, à longue barbe laineuse, dont les mains frottées vigoureusement l'une contre l'autre étaient toujours de bon augure.

«Allez Sam! Coupe-moi ç'grouillis d'barbe, qu'on en parle plus!»

Mitchell EMERSON: 150 mm.

Quand quelqu'un était indécis («Chai pas si on tond l'bison ou si juste on l'rafraîchit»), mon père pensait à son registre. «Touré! Qu'est-ce tu racontes! Ça r'pousse comme de la mauvaise herbe!» Expression surprenante dans une région où rien ne poussait, où l'herbe était trop rare pour être mauvaise, où la moindre touffe d'herbe découverte dans un cratère, entre les crocs du Pierrier, était l'occasion d'une promenade et accaparait nos conversations pendant toute une journée. (Mais alors, est-ce qu'y aurait de l'eau sous l'Pierrier? Est-ce qu'on pourrait faire pousser du maïs autour d'chez nous? Qu'est-ce que Dieu veut nous dire avec ç'te touffe verte? Est-ce que c'est pas un gamin qu'aurait arraché une botte d'herbe au bord du lac de Paselina et qui l'aurait r'plantée là pour nous rendre dingues?») Parmi toutes les confidences qui débordaient du fauteuil de barbier, j'avais un faible pour celles qui tournaient autour des plantes du Pierrier. Presque tous mes clients m'ont raconté le même rêve: chaussés ou même pieds nus, ils se promènent à la surface des cailloux aiguisés, et dans le vase d'un cratère, ou simplement en sortant de chez eux, au beau milieu de Small Fox Road, ils tombent nez à nez avec une fleur, un de ces soldats solitaires à pétales blancs, qui survole le Pierrier à l'état de graine, dans la main hurlante d'une tornade, et pousse sans apprêt dans une craquelure de bitume, sans eau, sans compagnie. Avec sa tête droite et son corps délicat, la fleur du rêve a l'air d'une jeune sorcière qu'on conduit au bûcher et qui ne prête attention ni à la foule mauvaise des cailloux noirs, ni au bourreau, là-haut dans le ciel, qui la brûlera dans l'heure. Elle est radieuse, et voilà qu'elle prend feu.

Mes clients ignoraient qu'ils faisaient tous le même rêve quand les sanglots flûtés des coyotes mouraient dans la nuit. Les gens ne se racontent jamais leurs rêves de fleurs – de quoi auraient-ils l'air?

U n lundi de printemps, M. Takemo et moi étions assis en tailleur sur le sol en damier beige et noir du grand hall de l'université, dans un parfum de saucisse grillée, occupés à regarder les étudiants parler, faire la queue devant le kiosque à hot dogs, bâiller, s'asseoir sur les marches des escaliers pour déjeuner, et se relever avec toutes sortes de méthodes graciles ou empotées. Pour ne pas gâcher notre séance de contemplation, je restais assis, le ventre plein de bruits de tuyauterie, n'osant pas aller m'acheter ce hot dog coulant de morgue qui me narguait et pénétrait déjà ma bouche ; je me voyais croquer dans le pain mou, je sentais la résistance élastique de la saucisse, la moutarde enflammer le fond de mon palais, la différence de température entre la mie tiède et la saucisse bouillante. M. Takemo avait surpris mon regard – ou peut-être que je romance un peu et qu'il avait juste entendu le chant de mon estomac – et il avait dit, dans un rire mélodieux : « Un certain niveau de manque est une bénédiction, n'est-ce pas ? »

Souvent, nous restions là un long moment, et comme la faim me donnait sommeil, je fermais les yeux et je repensais à cette habitude que j'avais, à l'âge de sept ou huit ans, de regarder mon père tailler les barbes, planqué dans mon coin, sous une tablette en formica où étaient alignés les peignes, les ciseaux et les tondeuses électriques. Le fourreau en cuir du rasoir coupe-choux était suspendu à un clou, à l'autre bout de la pièce, pour bien montrer qu'il y avait un monde entre l'outil roi des grands barbiers et les grossiers ustensiles de garçon coiffeur dont mon père se servait le moins possible. Je jouais à me faire tout petit, je me contorsionnais pour ne pas dépasser de ma cachette et j'étais très fier de mon camouflage. Je caressais au fond de ma poche l'œil-de-tigre que mon instituteur m'avait donné. On n'entendait que le vent, là-bas, sur le Pierrier, et le bruit du rasoir coupe-choux, semblable à de légers crépitements, comme un chat qui marche sur un tapis de sucre en poudre. Je m'entends encore demander: «Quand c'est déjà qu'elle arrive, la fête foraine?» Et mon père, feignant la surprise: «Ah! mais t'es là, toi? Tu nous espionnais? Dans un mois et quate jours! Ça a pas changé d'puis ç'matin!» Je me levais d'un coup, je prenais le balai et je poussais la poussière du désert vers la porte d'entrée. J'allais aussi vite que je pouvais, la tête du balai cognait contre les plinthes. Je participais à un concours de rapidité dont j'étais seul à connaître les règles. Je me mettais à genoux pour mieux atteindre le dessous des meubles. La sueur me chatouillait en coulant dans mon dos. «Y vend des fleurs, ton fils!» disait le gros type dans le fauteuil, avec ce front blanc beaucoup trop large et ce bandeau rouge de pirate qui lui barrait l'œil gauche. Mon père me faisait un clin d'œil et passait sa lame sur la pomme d'Adam du client, qui aurait, le soir venu, son nom dans le registre.

Jeff WOOLSEN : 25 mm.

Le mot fleur résonnait dans ma tête. Je m'imaginais dans une prairie – ou en tout cas dans l'idée que je me faisais d'une prairie, c'est-à-dire un Pierrier hérissé d'herbes hirsutes, comme si les cailloux portaient la barbe. Les fleurs sauvages repoussaient entre les cailloux au fur et à mesure de ma cueillette, sans se soucier d'être vues, pour le simple bonheur d'être bleues, d'être blanches. Mon balai frottait démentiellement le sol couvert de linoléum. Des poils fraîchement coupés se mêlaient à la poussière grise, le tout fumait et filait vers la porte de sortie. À bout de souffle, je me demandais si les fleuristes finissaient par se lasser des fleurs. Ça me semblait aussi impossible que de se lasser du « train de l'effroi » de la fête foraine qui s'installait chaque année de septembre à novembre sur le terrain vague des caravanes. J'aurais aimé poser directement la question à un fleuriste, mais il n'y a jamais eu de fleuriste chez nous. À Shellawick, quand un vieillard perdait la raison, on disait qu'il « vendait des fleurs ». C'était l'idée qu'on se faisait de la folie.

On trouvait des fleurs artificielles au bord de nos fenêtres. À tiges en plastique et à feuilles de tissu amidonné, les fleurs se couvraient de poussière et déteignaient au soleil. Restaient les têtes exsangues, la pâleur maladive et cette façon anormale d'osciller dans le vent sans souplesse.

À chaque fois que je disais à M. Takemo que j'aimais mon Pierrier natal mais que les plantes me manquaient, il dessinait une forme dans le vide : « Un érable apparaît quand on ferme les yeux et c'est un véritable érable. » Parfois, il remplaçait érable par sycomore ou cerisier. Je n'ai jamais compris le sens de cette phrase, mais j'ai eu le sentiment de respecter son esprit, des années plus tard, en refusant de vendre des fleurs artificielles dans mon petit supermarché. Les fleurs n'étaient pas les seules absentes : on ne trouvait à peu près rien dans mes rayons. Mes clients n'usaient plus de salive pour me demander où étaient rangés les chiffons à lunettes, le beurre de cacahouète ou les marshmallows au chocolat. Ils connaissaient la réponse : nulle part. Avec le temps, ils ont appris à se passer de toutes les choses épatantes qu'on trouvait partout ailleurs, dans les supermarchés dignes de ce nom. À l'époque où les gens s'énervaient encore en découvrant la mine pelée de mes étagères, j'ai écrit « SUPERMARCHÉ INDIGNE DE CE NOM » sur une pancarte au-dessus de ma caisse. Mes clients ont trouvé ça drôle. Les gens de Shellawick ne rient presque jamais mais ils ont le sens de l'humour. Ils rient et sourient à l'intérieur d'eux-mêmes, derrière leurs têtes sérieuses. Seuls les gens de passage continuaient de se plaindre des lacunes de mon supermarché. Les râleurs venaient de Tahoneck, Pessahee et Dundrove, trois villes enclavées dans le Pierrier. Ils se garaient devant mon supermarché avant de fendre la plaine noire vers le nord, jusqu'à Cornado. Les étrangers n'avaient que deux raisons de s'arrêter chez moi : pisser et acheter du pop-corn. Pour ce qui était de pisser, la porte de mes toilettes était toujours grande ouverte. En matière de pop-corn, les choses se compliquaient. « Tu t'fous d'moi, Rouquin ? Tu vends pas d'pop-corn ? Y sait où il habite, ce crêle ?! Pas d'pop-corn ! » Alors je montrais au type ma pancarte au-dessus de la caisse. Parfois les râleurs se rabattaient sur un paquet de noix de cajou, mais parfois ils se mettaient à crier, leurs yeux rougissaient, leurs mâchoires et leurs poings étaient pleins d'angles. Un jour, quelqu'un a même craché. La salive est tombée, mousseuse, sur la page de l'annuaire où j'avais écrit quelques minutes plus tôt :

Museau de fouine
Prêt à en découdre
Bouffeur de pop-corn, combien vous pariez ?

En général, les mécontents me traitaient calmement de dingue. Mais parfois des «zate de coye!» et des «touré d'crêle!» volaient au-dessus de mon fauteuil de barbier. En sept ans, il n'y a eu qu'un seul type pour me féliciter. Alec avait une vingtaine d'années, deux mètres de haut, le nez aplati et tordu. Il avait travaillé un an dans l'usine de pop-corn Buffalo Rocks et avait réussi à convaincre cent cinquante ouvriers de signer une pétition réclamant que les gants de protection soient changés tous les deux jours pour éviter les brûlures. On l'avait renvoyé pour «détérioration volontaire et répétée du matériel de sécurité». Deux types l'attendaient dans le parking de l'usine, visages cagoulés, avec des casquettes bleues des Los Angeles Dodgers et des battes de base-ball en aluminium. Fracture de la mâchoire, fracture des clavicules et fracture du nez. Alec s'était penché au-dessus de ma caisse enregistreuse, il m'avait serré dans ses bras puis m'avait collé trois vigoureuses gifles dans le dos. Il trouvait que je menais un combat admirable contre le pop-corn, au nom duquel les habitants du désert de Tahoneck suaient et s'épuisaient pour un salaire de misère. Alec était loin du compte. La seule chose contre laquelle je luttais, c'était ma tête. Sur tous les paquets de pop-corn Buffalo Rocks, le petit garçon roux barbouillé de taches de rousseur, c'était moi. Je me faisais horreur avec mon sourire démesuré, planté de dents de la chance encore crénelées. Je ne voulais pas de cet enfant dans mon supermarché. Mais partout ailleurs, les rois du maïs, ces jaunes qui n'avaient jamais enfilé de gants de protection, tenaient mon visage entre leurs grosses pattes blanches et le maintenaient de force sur l'emballage rouge métallisé.

QUAND J'AI OUVERT MON SUPERMARCHÉ sur Small Fox Road, dans la pièce où mon père avait raboté des barbes toute sa vie, je vendais de tout. Je me pliais aux envies des uns et des autres. Je commandais sans cesse de nouveaux produits qui jouaient des coudes sur mes étagères bondées. Plus j'en avais, plus les gens réclamaient de nouveaux produits légèrement différents de ceux qui étaient déjà en rayon. J'avais beau faire, il manquait toujours quelque chose. Au lieu d'être de plus en plus contents, mes clients étaient de plus en plus tourmentés. Je suis allé rendre visite à M. Takemo sur le campus de l'université de Princebourgh. En tailleur, nous avons admiré une Jaguar garée dans une allée de cailloux noirs. De sa voix roucoulante, pleine de bonté et de gentille moquerie, M. Tameko m'a dit : «Décidément, un certain niveau de manque est une bénédiction.» Voilà ce qui manquait à mes clients : un certain niveau de manque. Ils ne seraient jamais bénis si je continuais à trop les gâter. J'ai décidé de changer mes habitudes et de limiter mon carnet de commandes à la trilogie du bonheur : manger à sa faim, se laver et tuer les mouches. Au-dessus de ma porte, j'ai décloué le panneau SUPERMARCHÉ, je l'ai retourné et j'ai peint LE BONHEUR en lettres rouges. Sur les courbes du B j'ai dessiné des poils en souvenir de mon père barbier, mais comme beaucoup de clients me demandaient pourquoi j'avais transformé mon B en paire de couilles, je suis remonté sur mon échelle et j'ai rasé de frais mon B. La plupart des produits ont disparu de mes rayons. Mes clients ont presque tous enduré leur sevrage sans m'arroser d'insultes ou de crachats. Je peux compter sur les doigts de la main ceux qui m'ont tourné le dos et sont partis faire leurs courses dans le supermarché de Tahoneck, moyennant cinquante minutes de trajet dans le Pierrier et une facture d'essence égale au prix d'un ruban tue-mouches Bziter.

Parfois, des femmes aux longs cheveux intrépides me demandaient dans quelle allée se trouvaient les après-shampoings. J'avais toujours un petit pincement au cœur quand je devais annoncer qu'on ne trouvait pas ce genre de choses dans mon supermarché. La pancarte au-dessus de ma caisse les aidait parfois à mieux surmonter leur déception. « J'vais vous expliquer, m'dame… J'vends pas d'après-shampoing pass'que j'me dis que quand on vient juste de s'faire un shampoing, c'est l'heure de faire cuire des beignets d'maïs… ou c'est l'heure d'aller s'tordre les ch'villes dans l'Pierrier… mais c'est pas l'heure de s'faire un nouveau shampoing, vous voyez ? » J'expliquais que mon supermarché était comme un vieil ami : il avait ses défauts, il était parfois décevant, mais il voulait profondément votre bonheur. Tandis qu'un supermarché qui ne manquerait de rien serait plutôt comme Jeff Woolsen, le maire de Shellawick : quelqu'un qui parle fort, qui cherche à vous en mettre plein la vue, qui répond oui à toutes vos questions, mais qui se fout de votre bonheur et espère seulement que vous achèterez des milliers de paquets de pop-corn Buffalo Rocks. La métaphore faisait son effet car tout le monde savait que Steve Woolsen, le frère du maire, veillait aux intérêts de Buffalo Rocks en transmettant à la direction le nom de tout employé de l'usine de pop-corn qui réclamerait des gants de protection en bon état, une augmentation de 50 cents de l'heure, le droit d'aller aux toilettes sans prévenir son chef, ou pire encore, qui encouragerait ses collègues à compléter sa liste de doléances. À ma connaissance, aucune femme aux cheveux intrépides n'a renoncé à l'après-shampoing après avoir écouté mon exposé.

Tout ce que mon Bonheur avait d'un supermarché, c'était deux caddies qui roulaient en biais et des placards à portes vitrées dans lesquels j'empilais les produits frais sans souci de présentation. Mes clients ont continué à faire leurs courses chez moi, sans faire d'histoires, alors que tous les atouts de notre société de consommation avaient décampé de mes rayons. Au fond, je sais que personne n'a jamais adhéré à ma trilogie du bonheur – manger, se laver, trucider les mouches. Dans leur for intérieur, mes clients rêvaient tous d'un centre commercial ultramoderne en plein centre de Shellawick. Personne ne venait vraiment chez moi pour m'acheter des ampoules, des raisins secs, du maïs en boîte et du ruban tue-mouches. Même ceux qui m'achetaient de la bière avec l'intention de la boire et des timbres avec l'intention d'écrire à leur tante entraient chez moi pour le fauteuil de barbier. Pour sa coque profonde, moulée à la forme de toutes les histoires. Pour son parfum d'huile de pied de bœuf, son corps râpé, moelleux, éclairci à l'endroit des fesses et des coudes. Le fauteuil était l'oreille de Shellawick. Chaque jour était un jour ordinaire de poussière et d'air brûlant, et on entrait chez moi comme si de rien n'était, avec son cabas ou son chariot à roulettes. Et, toujours comme si de rien n'était, on s'installait sur le fauteuil de barbier pour soulager ses jambes et se débarrasser d'un poids. Personne ne m'a jamais avoué qu'il entrait dans Le Bonheur pour vider son sac et pas pour le remplir.

Quand mon ancien instituteur, le vieux Matt Southridge, s'est mis à haïr tout ce que le soleil chauffait – cailloux et formes vivantes –, il a continué à venir s'asseoir tous les jours sur mon fauteuil. Posté sur le pas de ma porte, je regardais Matt remonter Small Fox Road. Il marchait lentement, les jambes dans un nuage de cendres, le buste penché comme s'il tractait une charrette. Il était pris d'une quinte, il cherchait un endroit où se tenir et trouvait le mât d'un panneau publicitaire. Sa toux lui sonnait les cloches, il se cramponnait au poteau, puis il repartait, traînant péniblement sa charrette invisible. Il portait des pantoufles et faisait exprès de racler les semelles par terre pour faire gonfler la poussière. Après quoi, il la pointait du doigt et gueulait: «T'es toujours là, poussière de chienne! Tu t'en vas pas, poussielle! Toute ma vie, tu m'auras fait suer!» Comme il savait que la salive coulait parfois de sa bouche sans prévenir, il avait ce réflexe de s'essuyer les lèvres après avoir parlé. Les gens disaient qu'on ne le reconnaissait plus depuis quelques années et qu'il était à deux doigts de vendre des fleurs. Matt n'avait plus grand-chose à voir avec le fabuleux instituteur qui avait enseigné jusqu'à soixante-douze ans. Par respect, on le saluait toujours quand on le croisait dans la rue et on lui demandait comment il se sentait. «Comment j'me sens? T'as rien d'moins crétin comme question? Peux pas saquer les jeunes! Bande de crêles!» Et il s'essuyait la bouche.

Matt entendait par «jeunes» les habitants de Shellawick plus jeunes que lui. C'est-à-dire tous les habitants de Shellawick, Matt étant notre doyen.

Avant d'être un vieillard belliqueux, écumant d'ordures blanches au coin des lèvres, Matt avait été pendant cinquante ans l'instituteur le plus aimé de Shellawick. Il avait appris à des générations d'écoliers à observer les étoiles de quartz dans le Pierrier et celles du ciel dans la nuit. Il emmenait ses plus jeunes élèves au Toucan Noir. Ils avançaient en file indienne, la joie au ventre, avec des lampes de poche, jusqu'au gigantesque oiseau-rocher, sculpté par le vent et la nuit des temps. À part les panneaux publicitaires de Buffalo Rocks, le Toucan était la seule forme à émerger de la surface du Pierrier. Matt prenait les enfants sur son dos et les faisait grimper un par un sur le bec de l'oiseau. Là-haut, chacun rampait vers la pointe du bec en se râpant les genoux. Assis les uns derrière les autres, ils se tenaient par les épaules et nageaient dans le bain d'étoiles en balançant leurs pieds dans le vide. Matt leur racontait comment autrefois les Grandpas montaient leur campement de tipis dans les cratères du Pierrier, comment ils chassaient le bison et utilisaient chaque partie de l'animal pour se nourrir, s'habiller et se soigner. Les enfants poussaient des cris d'effroi radieux quand les coyotes hurlaient dans le noir. Puis ils les imitaient, de leurs voix aiguës. Et même Matt imitait ce son triste et voilé venu de l'enfance du Pierrier, cette plainte de bête blessée, à bout de souffle. Toutes les nuits, à Shellawick, on entendait hurler ou glapir les coyotes. Mais les bêtes, leurs yeux jaunes, on ne les voyait jamais. Par les fenêtres encrassées des paquebots, les ouvriers de Buffalo Rocks repéraient parfois une meute sur le Pierrier. Les coyotes s'immobilisaient pour regarder passer le bus.

Leur fourrure brun cannelle avait des reflets roses. Quand mes parents étaient enfants, les coyotes pénétraient dans Shellawick et saccageaient les poubelles. On retrouvait les ordures puantes en charpie dans les rues. Attirés par les odeurs de viande, les coyotes entraient dans les maisons, les bungalows et les caravanes. Je me souviens d'histoires de bagarres, de bâtons, de morsures, de coups de fusil tirés en l'air. Jeff Woolsen, qui plus tard deviendrait notre maire, s'était pris un ricochet de balle perdue dans l'œil gauche. Il n'avait que trois ans. Fou de colère, son père, qui avait causé l'accident, avait abattu neuf coyotes à bout portant.

Coye, le diminutif de coyote, était notre juron favori. On n'entendait jamais de «nom de Dieu», de «fils de pute» ou de «putain d'salope», mais des «coye!» dans toutes les bouches, et des «zate!» et des «touré!». Les tourés étaient les tornades sur le Pierrier et les zates ces grosses mouches vert irisé qui se cognaient contre les vitres. À Shellawick, tout le monde avait une grand-mère qui se souvenait que sa grand-mère gueulait déjà «Touré de zate de coye!» quand le gâteau de maïs sortait du four à moitié noir.

L'ANNÉE DE SES SOIXANTE-DOUZE ANS, Matt a failli me tuer. En suivant ses instructions, j'avais construit au pied du Toucan Noir, avec quatre élèves de dix ou onze ans, une hutte traditionnelle faite de branchages recouverts de peaux de mouton. Les Grandpas utilisaient autrefois ces «loges à sudation» pour communiquer avec les éléments et se purifier le corps et l'esprit. Au centre de la hutte, on avait amassé des cailloux chauffés au feu de bois. Sur les pierres brûlantes, Matt avait versé de l'eau. Dans la vapeur aveuglante, on avait sué, chanté et bu un liquide amer à base de plantes, que Matt avait concocté exprès pour notre cérémonie. Soudain j'avais perdu l'ouïe et j'avais senti que l'intérieur de ma tête coulait par les trous dilatés des racines de mes cheveux. Mon esprit était là, devant moi, sous forme de billes illustrées, qui tenaient en suspension dans la brume bouillante. Au lieu de me trouver dans cette hutte surchauffée, au milieu du désert de Tahoneck, j'étais dispersé dans l'univers, comme de la poussière, mais une poussière sentimentale et colorée, dotée d'une voix humaine. Ça n'avait rien d'effrayant. Mon cœur s'était mis à frapper très fort et à faire le bruit granuleux et saccadé d'un hochet qu'on secoue. Un certain temps s'était écoulé, puis j'avais entendu des anneaux glisser sur une tringle et je m'étais réveillé, avec une terrible nausée. Un infirmier complètement chauve tenait dans sa main le rideau bleu pâle de ma chambre d'hôpital.

Quelques années après son renvoi de l'école de Shellawick, on voyait Matt marcher au-delà de la dernière maison inhabitée, noire de poussière, à l'heure où le soleil fondait à l'ouest. Il avait du mal à se pencher pour ramasser une poignée de cailloux. Il se redressait lentement, en posant une main grimaçante au creux de ses reins, et il regardait le Pierrier s'étendre comme un mort. Il entendait alors une rumeur et voyait grossir l'horizon. La ligne tremblante se transformait en ruisseau noir qui sortait de son lit et déferlait au ralenti sur le Pierrier. L'eau était laineuse, chaude et bouclée. Elle soulevait au-dessus de sa fourrure une nappe de poussière rouge pâle, rouge sang, rouge-noir, puis le soleil disparaissait, abandonnant le Pierrier à son sort. Matt hochait la tête, comme un père regarde un fils qui s'est mal comporté et qui n'a pas tenu parole. Il insultait le Pierrier et lui lançait les cailloux qu'il avait ramassés. «Coye! Tu sais rien faire que d'la poussière? Quel crime on a commis? Quel sang on a sur les mains pour qu'tu nous envoies tes zates et ta pousselle en pleine gueule! Pour qu'tu nous cuises comme du pop-corn! Et les beignets d'maïs de la Reine? Touré, tu les cuis plus, ceux-là?» Une veine enflait sur son front et dans le flot d'insultes apparaissaient les prénoms de ses trois frères, Joe, Lewis et Jacob. Puis Matt appelait désespérément «Maman? M'man? M'man!».

Pendant cinquante ans, la mère de Matt avait vendu les meilleurs beignets du désert à l'entrée du bowling de Shellawick. Elle les préparait chez elle, avant le lever du soleil. Sa maison embaumait le parfum frémissant de pâte cuite et d'huile sucrée. On la surnommait «la reine des beignets» ou simplement «la Reine». Elle était la promesse vivante que quelles que soient les menaces – orages de grêle, tornades, scorpions, inondation de Dry Corny dans les gosiers –, le royaume de Shellawick tiendrait le coup. Avec son enseigne en néon bleu, le bowling était le centre de notre univers. Toute la ville s'y retrouvait mais la plupart des gens n'avaient aucune intention de lancer une boule à trois trous sur une piste en érable. Chacun arrivait avec sa chaise pliante sous le bras et s'installait dehors, devant l'entrée du bowling, sur la terrasse en béton, un sachet de beignets dans une main, un verre de Kansa-Cola dans l'autre. Les chaises étaient orientées vers l'ouest, face au Pierrier désolé, que l'on regardait ensemble, jusqu'à voir le soleil ramollir, grelotter, se liquéfier, violet et noir, sur la ligne d'horizon. Les vieux faisaient toujours les mêmes blagues. «Y manque des cailloux ç'soir, ou j'rêve?» «R'gardez-moi ç'travail! Qui c'est l'crêle qu'a encore vidé la mer?» Parfois, une tempête brune avalait le soleil couchant. «On s'est plantés, les gars! Le soleil s'couche à l'est ce soir!» Ces jours-là, les longues mains du vent soulevaient une telle masse de poussière que le paysage était méconnaissable. Des formes sombres hurlaient en meute et se dressaient dans le ciel sur leurs pattes arrière. Le seul repère familier était le Toucan Noir qui apparaissait et disparaissait au gré des bourrasques.

Shellawick n'était plus qu'un amas de formes géométriques gris argenté, ondulant dans la fournaise, Matt s'arrêtait. On sentait aussitôt les lèvres bouillantes des pierres noires sucer les chevilles et les mollets. Matt s'agenouillait, tournait le dos à son élève, grattait entre les cailloux et s'adressait au Pierrier. «Hé, Pierrier! J'm'appelle Matt... Chu' instituteur à Shellawick! Chu' venu avec le meilleur élève de ma classe... Un garçon fantastique! J'veux absolument te l'présenter... Y s'appelle Tom Elliott.» Matt prenait une voix plus profonde, épaisse et vibrante, pour jouer le Pierrier. «Tom! Pardon pour la poussière, j'ai pas eu l'temps d'balayer... Chui ravi d'faire ta connaissance et chui coyement fier de toi!» Parfois le gamin jouait le jeu et remerciait le Pierrier. Mais le plus souvent, agacé d'être traité comme un petit enfant, il se contentait d'un hochement de tête. «J'voulais te d'mander, Pierrier..., continuait Matt, y sont d'quelle couleur, tes cailloux?» Le Pierrier prenait la mouche. «Tu t'fous d'moi! De quelle couleur y sont? Y sont noirs, trou d'coye! T'es aveugle ou t'es crêle?» Matt posait les mains sur ses hanches et d'un air suspicieux: «Ah oui? Tout est noir? Et même en cherchant un peu, on n'aurait pas une chance de tomber sur... j'en sais rien, moi... une agate ou un œil-de-tigre?» Une petite flamme d'inté-rêt s'allumait dans le regard du gamin. Le Pierrier toussait pour s'éclaircir la voix et bien embarrassé: «Aucune chance... J'irais pas jusque-là... Disons qu'ça peut arriver... mais c'est extrême-ment rare de tomber sur un caillou qui... qui...» «Qui quoi?» le pressait Matt. «Qu'a une très grande valeur», lâchait le Pierrier à contrecœur. Et il se reprenait aussi sec: «Mais c'est inutile de chercher, ch'crois bien qu'une tornade a aspiré l'dernier œil-de-tigre qui m'restait.» On pouvait presque toucher la peur bleue dans la voix du Pierrier. Il tremblait à l'idée que Matt et son élève pourraient lui voler ses trésors. Alors Matt s'exclamait : « Moi chu' sûr qu'y reste une surprise dans ç'touré d'désert ! Pas toi, Tom ? » Et Matt s'accroupissait sur le Pierrier, ses longues mains gracieuses soulevaient méthodiquement les cailloux un par un et les reposaient aussitôt pour ne pas se brûler. Le gamin, qui ne portait qu'un short de coton sur ses jambes nues, s'était déjà jeté à genoux. Sa peau constellée de taches de rousseur ne ressentait pas la brûlure du désert. Toute sa concentration était tendue vers les lames noires piquées d'éclats de quartz. Il raclait profondément le sol avec ses doigts recroquevillés. Soudain le gamin poussait un cri, exactement le même cri qu'il avait poussé la fois où ce petit scorpion brun l'avait piqué au pied. Sur la paume de sa main brillait un gros œil-de-tigre. Il n'était pas informe et jaune terne, comme une pierre brute, mais taillé en œuf de poule, lustré, brun chocolat avec des anneaux mordorés. J'ai encore ce caillou au fond de ma poche. Je le serre quand j'ai peur ou quand mon enfance me manque trop.

Matt et son élève repartaient en direction de Shellawick. Matt expliquait qu'il fallait faire beaucoup d'efforts, qu'il ne fallait pas se contenter d'apprendre ses leçons, mais lire et observer le monde sans relâche, et arroser son intelligence comme les alcooliques du Toucan Dingue s'arrosent de Dry Corny : avec immodération. Sur le chemin du retour, c'était toujours le gamin qui marchait le plus vite, le plus gaiement. Matt peinait à suivre la cadence et mettait son élève en garde : quand on est né dans le désert de Tahoneck, il est très difficile de sortir du lot, de devenir astrophysicien ou instituteur (Matt avait beaucoup d'estime pour son métier qu'il plaçait au sommet de la pyramide des métiers admirables, juste à côté d'astrophysicien). En arrivant à Shellawick, Matt cherchait son souffle et semblait tout à coup plus grave. En même temps que ses forces, il semblait avoir perdu la confiance aveugle qu'il avait dans son élève. «C'est un combat, tu comprends? disait Matt avec beaucoup d'inquiétude. C'est un vrai combat qu'il faut mener chaque jour contre la paresse et la tentation de ne rien apprendre. Surtout ici, surtout dans ce désert inculte!» Le gamin acquiesçait à tout et ne pensait qu'à une chose: l'œil-de-tigre au fond de sa poche. Il le montrerait à ses copains. Mais pas à sa mère qui ne croirait pas un mot de son histoire à dormir debout.

Malgré les longues marches et les prêches dans le désert, malgré les œils-de-tigre, malgré les encouragements du Pierrier en personne, les élèves très prometteurs de Matt prenaient tous, un jour ou l'autre, le chemin de l'usine de pop-corn, de la distillerie ou du salon de coiffure.

Quand Matt dépassa l'âge habituel de la retraite, le directeur de l'école de Shellawick lui demanda chaque année s'il «envisageait de tirer sa révérence après cette magnifique vie passée à enseigner». Et chaque année Matt répondait d'une voix ingénue que l'idée ne lui avait encore jamais traversé l'esprit. Plus Matt vieillissait et plus il aimait son métier. Quand il était chez lui et qu'il époussetait sa collection de pierres, il se répétait que grâce à lui, plus de mille enfants connaissaient l'histoire des Indiens des Plaines et savaient lire dans les cailloux, les livres et les étoiles. Alors il souriait, seul dans sa maison. Parfois, il était malheureux et tourmenté, parce qu'aucun de ses élèves n'était devenu instituteur ou astrophysicien. Il se demandait s'il était possible de remporter une bataille contre les éléments, contre les habitudes, contre le sentiment géographique du néant qui vous serre à la gorge dans les rues de Shellawick. Mais au même moment, par la fenêtre de sa cuisine, une tornade titubait dans sa robe de poussière bouffante, sur la dépouille noire du paysage, et Matt était aussitôt apaisé. La grâce du Pierrier surpassait tout. Matt savait que son âme agitée ne devait pas l'inquiéter. Elle était comme le tremblement d'une paupière devant la beauté du monde.

Le dimanche, Matt aimait installer sa chaise sur la terrasse du bowling, au milieu de ses anciens élèves qui parlaient de leurs professeurs au collège de Tahoneck, de leurs journées d'usine à Cornado ou de leur projet d'acheter une cabane au bord du lac de Paselina, à 19 miles à l'ouest de Shellawick. Acheter une cabane à New Paselina, pêcher son propre poisson et le faire griller au barbecue était l'espoir le plus violent des habitants de Shellawick. Autour de Matt, les bouches croquaient dans les beignets préparés par sa mère qui avait juré qu'elle mourrait en tendant un sachet bien huileux à un lycéen boutonneux. Rose Southridge s'était finalement effondrée la veille de ses quatre-vingt-quatorze ans, sur le carrelage de sa cuisine, avant le lever du soleil, devant les grandes poêles où frémissaient les divines boules de pâte blonde.

L E JOUR DE L'ENTERREMENT DE LA MÈRE DE MATT, la chaleur nous écrasait la tête. L'air était un corps visqueux de pieuvre. On respirait par petites goulées pour ne pas se brûler la gorge. Comme les beignets de la Reine étaient la base de leur alimentation, tous les adolescents de Shellawick, de Tahoneck et de Dundrove étaient présents. J'étais l'un d'eux. Je ne savais pas ce que j'allais faire de ma vie. Je n'avais aucune envie de tailler des barbes ou de trier des grains de maïs sur un tapis roulant, et la vision de la fosse ne m'aidait pas à envisager mon avenir sereinement. Buffalo Rocks venait de mettre fin au contrat qui nous liait depuis dix ans. Seule ma tête de gamin resterait à jamais sur les paquets de pop-corn rouge métallisé. Une pie marchait au bord de la fosse. Mes oreilles bourdonnaient, je sentais le bout de mes doigts enfler. À la radio, la fille de la météo avait conseillé à tout le monde de rester chez soi, les pieds dans une bassine d'eau froide. On attendait 44 degrés pour l'après-midi.

Des années plus tard, étendu sur le fauteuil de barbier, Matt m'a raconté chaque instant de cette journée. Dans le croissant de silhouettes noires qui surplombait la fosse, les gens regardaient

Matt avec insistance. «Ch'comprenais pas… J'me disais que p't-être y z'auraient préféré que ch'porte la boîte avec mes frères.» Le cercueil de bois clair était apparu au loin, calé sur les épaules des trois frères de Matt et du directeur des pompes funèbres. Les quatre hommes remontaient l'allée du cimetière vers l'ombre de la fosse. On ne remarquait pas tout de suite que leurs chemises noires étaient trempées. Des gouttes perlaient du coude de Jacob, le benjamin de la fratrie qui avait travaillé quarante-cinq ans dans l'usine de Cornado, dans la zone assourdissante des fours à éclater le grain. Les porteurs souffraient atrocement de la chaleur, mais le reste était du cirque – la façon de mimer l'effort, les mâchoires contractées, les joues cramoisies, les poignets blancs où ne passait plus le sang, les mains tremblantes soutenant le cercueil, le pinçant avec des doigts velus et arc-boutés comme des pattes de mygales. En réalité, ils n'ont aucun effort à fournir, leur charge est légère, si légère, pensait Matt. Puisque maman n'est pas dans le cercueil. À l'heure où nous sommes comme des crêles au bord du trou, maman, la solide Rose Southridge qui nous a élevés seule au milieu du Pierrier, qui, d'un baiser, a aspiré le venin du serpent qui avait piqué Jacob à la cheville quand il avait quatre ans, cette mère-là, la seule que nous aurons jamais, est en train de lisser au fouet la pâte à beignets dans sa cuisine, et je l'entends chanter son air: «Je viens du pays des cailloux you-you-you… Même mon cœur est dur et noir noir-noir-noir.»

Le cercueil approchait de la fosse, en même temps que les trois frères de Matt, dont on voyait déjà le détail des visages, les cernes gris, les nez tous ressemblants, les rigoles de sueur. Matt fixait le fond de la fosse. Quelques jours plus tôt, le jour même de la mort de la Reine, Jacob avait appelé Matt pour lui dire que toute la famille à part lui, *à part toi, Matt, est d'accord pour vendre le bowling à mon ancien patron… C'est un gros prix qu'Buffalo nous propose… Chai qu'tu vas gueuler qu'y faut pas vendre… que c'est l'bowling de m'man… qu'elle vient d's'en aller… Mais coye! Avec les dettes qu'on a!… avec l'hôpital de Joe à payer…! Et pis ces gens-là… y peuvent changer d'avis… Suffit d'hésiter un peu et l'type de Buffalo, y baisse son offre de moitié… Zate! C'est pas des gentils ces gros-là! Faut vite dire oui sans s'poser d'questions… M'ont promis qu'y gard'raient l'bowling… Vont pas l'détruire, vont juste le moderniser un peu… Y s'ra toujours là notre bowling!* Matt avait raccroché au nez de son frère et l'organisation de l'enterrement s'était faite sans aucune concertation. Personne n'avait prévu de chaises autour de la fosse pour éviter les évanouissements sous le soleil de plomb. En revanche, on se retrouvait avec deux «livres de condoléances», que personne n'aurait la force de remplir sous cette chaleur, et deux pasteurs, l'un venu de Cornado, l'autre de New Paselina. Le premier, convié par Jacob, n'avait rien préparé et accepta de lire la moitié de la prédication que le second – un ancien élève de Matt – avait passé la nuit à écrire, soupesant le gras de chaque adjectif et citant saint Augustin pour plaire à son ancien instituteur qui préférait le vent sur le Pierrier aux cérémonies des hommes. Étourdi par la chaleur, le nez entouré de mouches, le pasteur de New Paselina avait commencé à débiter son texte avant l'arrivée du cercueil. «Le soin des funérailles, le choix de la sépulture, la pompe des obsèques sont moins nécessaires à la tranquillité des morts qu'à la consolation des vivants.»

«Mais qu'est-ce qu'y raconte? Y peut pas parler normalement ç'te crêle?» s'énervait une serveuse du Toucan Dingue pendant qu'une rumeur s'élevait de l'autre côté de la fosse. «Le Popcorn

Kid! Il est tombé dans les pommes!» J'entendais leurs voix mais j'étais étendu de tout mon long, le sol me brûlait la joue, un sifflet aigu me perçait les oreilles. «On s'fait toujours remarquer! Il a failli tomber dans l'trou!» (C'était la voix dure de ma mère.) «On finira tous dedans.» (C'était la voix calme et rieuse de mon père.) «Les jambes, faut lui mettre en l'air.» C'était la voix sérieuse d'une enfant, Emily Dickinson, celle que les gens appelaient *la folle*. Ses mains fraîches glissèrent sous mes mollets. Mes jambes ne touchèrent plus terre et mon corps entier se mit à voler.

Le cercueil volait lui aussi. Et les figures exténuées de Joe, Lewis et Jacob étaient maintenant si proches que Matt baissait le menton pour ne pas croiser le regard de ses trois frères – «trois orphelins», pensait Matt avec une très douce pitié, se demandant si on pouvait encore être orphelin à leur âge, ou s'il était trop tard pour ce genre d'exil. Tête baissée, il réalisa qu'il avait enfilé le mauvais T-shirt, et les vapeurs qui troublaient son esprit depuis le matin se dissipèrent: sa mère posa son fouet, quitta sa cuisine et vint s'allonger dans la boîte du long somme. Au lieu de s'habiller tout de noir, selon l'usage, Matt avait mis par erreur le T-shirt qu'il portait la veille. L'inscription «Semi-marathon du désert de Tahoneck» courait sous le col, tandis que s'étalait sur la hauteur du torse une grosse femme nue, éreintée par sa course, passant la ligne d'arrivée les bras levés en signe de victoire, les seins allégrement bringuebalés, le corps zébré de bourrelets comme le shar-peï, ce petit molosse trapu qui s'est trompé de manteau et se promène avec une fourrure plissée sur le dos. Matt cacha les seins de la marathonienne sous ses bras croisés et essaya de se concentrer sur quelque chose de sérieux pour ne pas éclater de rire. Il compta les bouquets en forme de pièces montées. Ils étaient arrivés de Cornado à l'aube, après avoir traversé le Pierrier dans une camionnette réfrigérée. On aurait dit des impératrices dans des robes à crinoline. Les bouquets étaient disposés en ellipse autour de la fosse, comme un collier hawaïen, et semblaient aussi inconvenants que le T-shirt de Matt, avec leur gaieté immorale, au bord du gouffre, sous le soleil raide qui attendait la fin de l'enterrement pour assommer ces insolents. Les deux pasteurs venaient de souhaiter une longue vie céleste à la Reine, quand Larry, le type des pompes funèbres – celui qui avait aidé les trois frères Southridge à porter leur mère horizontale à jamais –, se planta devant Matt ; si près que Matt sentit un parfum de tabac exsuder de la grande bouche qui disait : «J'ai d'l'humour, tout l'monde sait qu'j'en ai, même les macchabées ! Mais Matt… ton T-shirt… Touré !… C'est l'pire irrespect qu'j'ai vu en vingt-cinq ans d'métier !» Larry eut à peine le temps de secouer la tête d'écœurement que Matt – l'homme qui avait enseigné pendant un demi-siècle à tous les enfants de Shellawick qu'on pouvait régler n'importe quel conflit par un simple échange de paroles – envoya son poing dans la bouche du croque-mort, avec une volonté tellement franche de le faire taire qu'il lui cassa quatre dents.

des pierres... Vous dites qu'on a sorti nos fusils et qu'on était au moins cent! Prêts à flinguer tout l'monde... Pan! Pan! Pan! Vous pigez ou pas? Et vous lui montrez, à vote patron, les impacts sur la carrosserie! C'est d'accord?» La porte de la cabine se referma, le type poussa un levier, le long cou métallique se déplia et la pelle dentée défonça la façade du bowling. À travers le trou béant, on voyait le Pierrier étinceler de quartz.

En une seule journée, tout fut écroulé. Le soir, Matt récupéra entre les gravats des sachets imbibés d'huile. Leur parfum le fit pleurer. L'air était blanc de poudre de parpaing broyé. Matt eut une sensation d'horreur en marchant sur quelque chose de tendre comme de la peau humaine. C'était un chiffon en daim qui servait à lustrer les boules de bowling. Il y avait des initiales au feutre noir dans un coin du chiffon. Matt se dit que ça devait ressembler à ça, une maison bombardée pendant la guerre. Des blocs gris, desséchés, et çà et là, à la façon des fleurs, des objets en couleurs, chauds et palpitants. Il se sentit très seul et essaya d'imaginer sa mère dans le noir, dans son cercueil, dans les intestins du Pierrier, les seins froids, privée de tendresse. Mais il lui était aussi impossible de se représenter sa mère en cadavre que de l'imaginer faire l'amour quand elle était en vie. Comme la nuit tombait, Matt décida de rentrer chez lui; son corps s'agenouilla dans les décombres et refusa de le suivre. Seul son esprit traversa la ville fantôme, où il trouva les portes des maisons battantes et toute âme déguerpie. Des moignons de murs fumaient et hurlaient à la manière des coyotes, sur une seule note voisée et inconsolable. Matt eut de la fièvre cette nuit-là. Il rêva qu'il entrait dans le bureau du juge de Princebourgh. Il n'eut même pas le temps d'expliquer la raison de sa venue que le juge pansu comme une amphore jeta son cheeseburger dans la poubelle en acajou et enlaça Matt avec une effusion inattendue, puis il grimpa, aussi agile qu'un sapajou, tout en haut de l'échelle qui coulisse le long de la bibliothèque aux volumes de cuir vert, et de là-haut, il ordonna la reconstruction du bowling de Shellawick. Il somma la société Buffalo Rocks de recoller toutes les briques de parpaing brisées, de réparer l'enseigne en néon bleu fluorescent, de restituer les chiffons en daim à leurs propriétaires, de restaurer les pistes de bowling en érable, de les huiler selon les règles de l'art, de reconstruire le stand à beignets dans le hall d'entrée et de déterrer Rose Southridge, de la requinquer, de la coiffer, et surtout qu'il ne reste pas la moindre trace de terre sous ses ongles… La liste des injonctions fut interminable. Le lendemain, Matt alla trouver ses frères pour leur parler de sa décision d'attaquer en justice Buffalo Rocks qui s'était engagé à conserver le bowling et l'avait réduit en miettes. Jacob lui dit avec une sorte de suffisance, et presque de ravissement, que ces gens-là étaient extrêmement puissants, qu'ils faisaient la loi, que personne ne pouvait remporter un combat contre les avocats de Buffalo Rocks, que tout leur héritage serait absorbé en frais de justice. «C'est des jaunes, tu sais… C'est pas des gentils, ces gros-là», disait Jacob, avec son sourire servile et admiratif. Avec l'argent de la vente du bowling, les frères de Matt voulaient d'abord éponger leurs dettes; après quoi ils pourraient partager en quatre parts égales la somme restante. Les frères de Matt n'avaient pas fini de rembourser leur maison. Lewis avait des dettes de poker au Toucan Dingue et Joe devait beaucoup d'argent à l'hôpital de Princebourgh où il faisait soigner tout ce que l'obésité déréglait dans son corps. Matt était le seul à n'avoir

L ES FRÈRES DE MATT étaient tous les trois d'anciens ouvriers de l'usine de pop-corn de Cornado. Ils étaient célibataires et se partageaient une maison difforme, faite de greffes successives. Autour du bungalow acheté à crédit, ils avaient construit un garage, un étage et une véranda dont les vitres étaient tellement encrassées qu'on ne voyait plus la cour caillouteuse plantée d'un sèche-linge en forme de manège. Inondée toute l'année, la cave se remplissait pendant les violents orages de l'été, puis se vidait doucement au fil des saisons, dans un parfum de moisissure que les trois frères ne remarquaient plus. À l'automne, ils descendaient à la cave en maillot de bain et se baignaient un long moment dans l'obscurité, faisant des dizaines de tours en crawl, avant d'aller s'asseoir, chacun à sa place, autour de la table du petit déjeuner – Jacob près de la fenêtre pour garder un œil sur la maison de l'autre côté de la rue, Lewis en face de lui, ses longs cheveux dansant dans le courant d'air du ventilateur, et l'énorme Joe entre ses frères, au seul endroit où il était possible de se resservir du bacon dans la poêle sans avoir à se lever. Des rubans adhésifs couverts de mouches tombaient en spirales du plafond. Quelques-unes remuaient encore les ailes et les pattes, émettant par moments un vrombissement sinistre.

Les trois frères habitaient exactement en face de la maison de Matt. Treize mètres séparaient leurs deux portes d'entrée. Il n'y avait qu'à traverser Rattle Snake Road pour se rendre visite. Ce voyage de quelques pas avait été un rituel quotidien pendant quarante ans et il avait pris fin avec la mort de la Reine et la vente du bowling. C'était à peine croyable de voir Joe, Lewis et Jacob devant leur porte moustiquaire, installés sur leur galerie extérieure, oscillant côte à côte sur leurs fauteuils à bascule, grinçant avec une régularité d'horloge, buvant leur café à treize mètres de leur frère aîné, assis tout pareillement devant sa porte moustiquaire, dans son fauteuil à bascule, grinçant d'avant en arrière au même rythme qu'eux, buvant dans un mug le même café pâle et insipide appelé *pisse de coyote*, chaque frère regardant le vide droit devant lui, comme ferait un aveugle. Des deux côtés de la rue, les frères mettaient un tel point d'honneur à s'ignorer activement qu'ils prenaient soin de s'installer sur leur galerie exactement aux mêmes heures de la journée. De cette façon, ils célébraient chaque jour leur discorde et retrouvaient un semblant de vie de famille. Leur guerre durait depuis six ans quand Shellawick connut une de ses plus violentes tempêtes de neige. Les lignes téléphoniques étaient coupées. On s'éclairait à la bougie et on ne sortait de chez soi que pour s'assurer que le voisin ne manquait de rien et pour avoir un peu de compagnie.

Quand la neige cessa de tomber, Matt descendit chercher une pelle à la cave pour déblayer l'entrée de son garage. Il la trouva endormie sur une étagère, à côté d'un énorme poste de radio que Lewis avait volé soixante-cinq ans plus tôt dans le bureau du directeur du collège de Tahoneck. À l'époque, les quatre frères se rassemblaient tous les soirs autour de la radio pour écouter l'émission *En quoi c'est fait*, tout en fumant des cigarettes – ce que Jacob, qui n'avait que neuf ans, avait du mal à faire sans tousser. Des adolescents racontaient en direct leur dernier flirt et expliquaient à tous les garçons ignorants du désert de Tahoneck en quoi était fait le corps des filles. Les cuisses étaient-elles molles ? La bouche avait-elle un goût bien à elle ou seulement le goût du chewing-gum à la fraise qu'elle hébergeait toute la journée ? Les poils du fameux endroit étaient-ils doux comme une fourrure de lapin ou rêches comme une brosse à récurer ? Voilà les questions existentielles auxquelles on pouvait répondre en écoutant quotidiennement *En quoi c'est fait*. La plupart des garçons qui appelaient le standard n'avaient jamais vu la fourrure de lapin de qui que ce soit mais leurs récits abracadabrants passionnaient les frères Southridge et suffisaient largement à leur donner une idée amusante et encourageante de l'amour.

Matt posa son mug de pisse de coyote sur la balustrade qui longeait la galerie et le regarda s'enfoncer à mi-hauteur dans la neige. Il prit dans ses bras la lourde radio, alla la déposer au milieu de la route et retourna s'asseoir sur son fauteuil à bascule. En face, les trois frères observaient la radio sur l'étendue de neige lumineuse.

Pendant que la ville avait le dos plié et s'échinait à déneiger les routes, je me tenais bien droit sur mon paillasson, en attendant le premier client de ma vie. À cause de la tempête, j'avais retardé de trois jours l'ouverture de mon supermarché et j'avais renoncé à distribuer mes tracts : «Votre nouveau supermarché à Shellawick.

138, Small Fox Road. Rayon frais et livraison à domicile.» Il ne tombait plus que quelques flocons chahutés par le vent. Je m'interdisais de regarder ma montre et je maintenais en tension les muscles de mon visage pour afficher sans mollir un grand sourire. D'après mon père, sourire était le seul devoir d'un commerçant. Le reste dépendait du talent, «et le talent, Tom, c'est comme la calvitie: touré, on n'y peut rien!».

꒰❀

Mon supermarché se trouvait au bout de Small Fox Road, à l'endroit même où mon père avait coupé douze miles de barbe et où il était mort. Les travaux d'aménagement et l'achat de mon stock m'avaient coûté toutes mes économies, tout l'argent que j'avais empoché à l'époque où j'étais l'enfant le plus célèbre de Shellawick, et peut-être même l'enfant le plus célèbre du désert de Tahoneck. Ma vie pourra un jour se résumer à ce fait marquant: j'ai été la mascotte des pop-corn Buffalo Rocks. Mes dents de la chance et mes taches de rousseur étaient partout. Sur les paquets de pop-corn, sur les panneaux publicitaires au bord de la route qui file droit comme un couteau vers Cornado, et même sur le glorieux petit écran. Mon père connaissait les heures exactes de diffusion des publicités et invitait tous nos voisins à se serrer devant notre nouvelle télévision en couleurs. En neuf ans, j'ai tourné dans une vingtaine de publicités. Je jouais le rôle d'un enfant prêt à risquer sa vie pour une poignée de pop-corn. Mon père ordonnait à nos invités de ne surtout pas rire: «Sinon on va encore rien entendre! Vous rirez plus tard!»

Les tournages avaient lieu dans les grands studios Peace Pipe à New Paselina. Avec son travail à l'usine, ma mère ne pouvait jamais m'accompagner. C'est toujours mon père qui fermait sa boutique pour l'occasion. À la place de l'habituelle pancarte : « C'est fermé ! Je vous taillerai la barbe demain (si j'suis pas mort) », mon père en suspendait une autre, bien plus grande : « À demain, mes amis ! (Je suis en tournage avec mon fils.) » Ce qui valut à mon père une réputation de *toucaneux*, comme on dit chez nous. Le réalisateur était assis sur une de ces chaises de plage dont l'assise et le dossier sont en toile tendue. Il avait de longs cheveux sales, des lunettes de soleil aux verres fumés, un chapeau de shérif et une cravate texane dont la broche argentée représentait un coyote hurlant à la lune. À ses pieds, il y avait quatre verres d'eau alignés et remplis à ras bord. Il n'avait aucune expression sur le visage, à part un sourire inerte et sans lèvres. Il se tenait dans le seul coin mal éclairé du studio, ne prononçait jamais un mot, ne quittait pas sa chaise et se penchait de temps en temps, raide comme un squelette, pour attraper un verre d'eau entre deux doigts et le vider cul sec. Mon père disait : « Ce type n'a pas d'âge », ce qui me paraissait une caractéristique extraordinaire. En effet, tous les gens que je connaissais avaient un âge et je ne voyais pas comment le contraire était possible. Quand j'ai interrogé la costumière sur ce point précis, elle a seulement répondu : « C'est un dieu » ; ses yeux brillaient de larmes. Pressés par mes questions, le régisseur et la maquilleuse s'en sont tenus à la même version : « Ignatius est un putain d'dieu. » Seul le chef décorateur s'est montré un peu plus raisonnable : « Rouquin, tu peux m'croire, Iggy est un demi-dieu ! » À la fin de chaque prise, l'équipe se tournait vers Dieu, ou la moitié de Dieu, dans un silence inquiet, attendant qu'il

«C'était très bien», disait ma mère d'une voix blessée – comme si tout ce que je faisais dans les studios de New Paselina, je le faisais contre elle.

«Faut pas qu'ça lui monte dans la tête et qu'y d'vienne toucaneux», ajoutait ma mère en remuant à toute force la purée avec sa louche, comme pour la rouer de coups.

«Tom? Un toucaneux? J'vais t'en montrer un, de toucaneux!» Mon père avait un don d'imitateur extraordinaire. Il pinçait ses lèvres pour modifier l'expression de son sourire, figeait les traits de son visage et semblait se momifier sur sa chaise. Il rayonnait de mystère et de bizarrerie. «Qu'est-ce tu fiches encore, Samuel Elliott?» demandait ma mère, qui balançait des louches de purée liquide dans nos assiettes. J'avais reconnu Ignatius, le réalisateur, mais je me retenais de rire pour ne pas fâcher ma mère. «Mangez maintenant! Ça va être froid!» Déçu de ma réaction, mon père posait son verre d'eau à ses pieds et, raide comme un phasme, il se penchait pour le saisir entre deux doigts et le vidait d'un trait. Je savais que j'allais faire de la peine à ma mère, mais je ne pouvais plus retenir le grand fou rire qui enchantait mon père.

«Vous d'venez débiles tous les deux! J'vois pas ç'qu'y a d'drôle! Tu vas renverser les verres!» criait ma mère. Mais on ne faisait plus attention à elle.

❦

J'avais beau sourire, personne ne passait la porte de mon supermarché. Les gens poussaient la neige comme une pestiférée dans les caniveaux. Je les voyais, courbés, manipuler leurs pelles métalliques comme des automates. Depuis quatre jours, les paquebots mettaient trois heures à rejoindre l'usine de Cornado. Ils glissaient dans la brume blanche, lentement et violemment, avec une détermination de brise-glace. À tous les coins de rue, les enfants fabriquaient des dames noires : des bonshommes de neige entièrement recouverts de cailloux noirs, sauf à l'endroit des yeux et de la boutonnière. Une sorte de bonhomme de neige aux couleurs inversées. Une tradition vieille comme le Pierrier. Les dames noires se remarquaient de loin. Elles semblaient jaillir du blanc. Et quand elles fondaient aux heures de redoux, leurs ossements formaient de petits tas autour desquels les enfants dansaient en chantant *La dame noire est morte*, une comptine sans queue ni tête :

Sssssss… Sssssss…
Ça sent l'œuf et le noir !
La menteuse a menti !
Ssssss… Sssssss…
Voyez sa bouche !
Elle y a mis son tout-petit !
Sssssss… Sssssss…
Mordez-lui la glotte !
Serpents, lézards d'argent, coyotes !
La dame noire est morte !

Vers midi, j'ai écrit sur un morceau de carton : « Fermé pour cause de neige ». Au même moment, Matt est entré :
« C'est ouvert ? »
Je me suis souvenu du conseil de mon père et j'ai souri à pleines dents.
« Bien sûr ! »

– Bon alors! Qu'est-ce ça donne? T'as eu un peu d'monde pour ç'te première matinée?

– Pas plus d'quate ou cinq personnes…»

J'ai vu dans les yeux de mon ancien instituteur que même ce score modeste passait pour ce qu'il était – un mensonge.

Matt a été mon tout premier client. Il a voulu utiliser un de mes deux caddies, mais même en enfonçant toutes les tailles de pièces de monnaie dans la fente, même en tirant de toutes ses forces sur la chaînette en criant «Zate de coye!», les caddies ont refusé de se séparer et Matt est parti se promener dans mes allées avec un panier. Cinq minutes plus tard, il était de retour devant ma caisse.

«Y manque quand même deux ou trois bricoles dans ton épicerie.

– Mon supermarché.

– Ouais, si on veut, ton supermarché.»

Matt a énuméré tout ce qu'il s'attendait à trouver la prochaine fois qu'il viendrait. J'ai pris la liste en note sous sa dictée.

«C'est une bonne idée d'avoir mis ça là. Le pauve vieux… Personne l'oubliera…»

Il a croisé les bras et a contemplé un moment le fauteuil de barbier de mon père. Il a mis le doigt sur le dossier, pile sur la tache.

«On dirait un cœur, pas vrai? Bon j'vais quand même pas r'partir les mains vides… J'vais t'prendre un tablier, tiens… Un tablier à fleurs…

– Un bleu ou un vert?

– Tom! s'est exclamé Matt, comme si la réponse coulait de source. Fait longtemps que j'me suis pas assis dans l'fauteuil de Samuel, moi…

– Vas-y, l'est là pour ça.

– Prochaine fois…

– Assieds-toi… T'as l'temps…

– J'ai l'temps, tu parles! J'ai cinquante choses à faire… Bon, j'me r'pose les cannes une seconde et j'y vais…»

Matt a pris appui sur les accoudoirs et s'est assis avec précaution.

«On est bien?

– Touré! C'est encore mieux qu'un lit! Tiens, s'est passé un truc marrant… Cherchais une pelle pour la neige… Ch'fouillais à la cave et sur quoi ch'tombe? Une radio qu'Lewis avait chourée dans son collège y a des siècles… Les trois frangins, z'étaient comme trois crêles à boire leur pisse de coye en face… Me suis l'vé et j'ai posé la radio dans la neige… Au milieu d'la rue! Lewis, y s'trémoussait sur son fauteuil… Là-d'ssus, le 4 × 4 du maire déboule au bout d'la rue… Il allait écraser la radio… Zate! Lewis a eu l'feu au cul! Y s'est l'vé, t'aurais vu ça, y s'est précipité, il a pris la radio dans ses bras! Là, comme ça! Il l'a serrée comme si ç'tait un animal avec une patte cassée! Lui qu'est tellement toucaneux, l'est quand même allé la chercher, ç'te radio!

– Et ça t'a fait plaisir, j'imagine…

– Et alors? J'ai pas dit l'contraire! Ch'te raconte juste l'histoire pass'que tu l'connais, Lewis… L'est tellement toucaneux!»

Matt m'a finalement parlé de ses frères pendant une heure et il est reparti avec un tablier à fleurs, un tablier vert comme celui que portait sa mère pour vendre ses beignets. Puis, pendant sept ans, Matt s'est assis chaque jour dans le fauteuil de barbier et m'a acheté un ruban tue-mouches ou une brosse à dents dont il n'avait pas vraiment besoin. Dès qu'il s'installait sur le fauteuil, Matt n'avait plus rien d'un fou qui insulte la poussière.

Au contact du cuir et du parfum d'huile de pied de bœuf, sa mémoire s'ouvrait. Avant de s'asseoir, il disait toujours : «Mon vieux Samuel, c'est pour toi que j'pose mon cul ici!»

Mon père avait bon dos. Grâce à lui, Matt m'a raconté sa vie, par petites touches qui parfois se complétaient comme un puzzle mais qui le plus souvent se contredisaient. En écoutant mes clients, j'ai appris que les autobiographies étaient des tissus de mensonges sincères, qui variaient au gré des années et des ressentiments. Matt inventait des souvenirs quand il ne trouvait plus rien à me dire. La plupart des gens dont il me parlait s'asseyaient eux aussi sur mon fauteuil. J'entendais alors d'autres versions sincères et mensongères des mêmes événements. Dans les histoires de Matt, il y avait un personnage très important que je ne voyais jamais dans mon supermarché. C'était Emily Dickinson, sa fille adoptive – celle qui m'avait soulevé les pieds le jour de l'enterrement de la Reine. Matt lui lisait souvent les quatrains de la poète qui portait le même nom qu'elle.

Jette sur le Temps un Œil indulgent –
Il fit sans doute de son mieux –
Avec quelle douceur sombre ce soleil tremblant
À l'Ouest de l'Humain.

«On dirait qu'ça parle du Pierrier, pas vrai?»

Matt pensait que ça n'était pas un hasard si cette enfant perçante et solitaire s'appelait comme la grande poète éloignée du monde, qui pensait à la mort à longueur de vers. Ce qui dans la bouche bourrue de Matt donnait : «Hasard, mon cul! Si la p'tite s'appelle comme la grande, c'est qu'elles baignent toutes les deux dans la moelle de la vie, qu'elles se méfient des crêles et qu'elles baissent pas les yeux d'vant la Mort. »

Matt était le seul client que je raccompagnais à la porte. J'avais trouvé ce stratagème pour réussir à le mettre dehors. Debout devant Le Bonheur, on regardait de l'autre côté de la rue les enfants jouer dans les ruines du bowling. Ils avaient construit un parcours de vélocross, avec des piles de pneus crevés et des rampes en appui sur des tonneaux d'essence. Derrière eux, une tache noire et fourmillante enflait à l'horizon et se déversait sur le Pierrier dans un vacarme de sabots. Je serrais le bras maigre de Matt: «À demain, mon ami!» Et il me répondait: «Ouh là, t'es marrant, chui pas sûr d'pouvoir passer, demain! J'ai cinquante choses à faire!» Je regardais Matt traîner les pieds sur Small Fox Road. À mesure qu'il s'éloignait de moi, il redevenait fou, vieux et courbé, tractant sa charrette imaginaire. Au bout de la rue, je le voyais s'arrêter et menacer du doigt la poussière. J'entendais des éclats de *crêle!* de *zate!* de *coye!* et de *touré d'pousselle!*

paquebot jusqu'à Cornado? Est-ce qu'elle encourageait ses collègues à faire des réunions et à cracher dans la soupe? Au fond, le maire voulait savoir si son frère, qui était payé pour surveiller les fortes têtes de l'usine de Cornado, avait du souci à se faire. Jeff parlait très fort et posait ses mains de part et d'autre de ma caisse enregistreuse. Il gueulait comme un ivrogne: «Tom! Le poète de Shellawick! Le grand sage de notre p'tite ville pas sage! Celui qui sait tout!» Son immense front plat se rapprochait de moi. «Ça défile, dans ton fauteuil de barbier! Ça doit y aller les jérémiades et les conneries en tout genre!» Je haussais les épaules et je faisais semblant de ranger mes annuaires téléphoniques. «En fin d'compte, t'es le psy d'Shellawick... mais sans la plaie du secret médical!» Il ne scrutait plus mes cheveux comme si j'avais des poux, il regardait mes yeux, l'un après l'autre, avec son œil unique. «Un bon commerçant, c'est une poche percée... Tout ç'que tu lui dis l'matin se r'trouve dans l'journal du soir... Ton père était comme ça, lui... Samuel savait rendre service. Y savait où était son intérêt.»

C'est en lui répondant: «Je sais, je parle moins qu'mon père» que j'ai remarqué comme ma voix était faible à côté de celle de Jeff, comme elle pesait moins lourd et tremblait sur ses cordes. J'ai expliqué au maire, ou plutôt à son front qui s'approchait de moi, et à ce morceau de soie rouge sang qui voulait me mordre l'œil, que si Lou-Ann McCaskill me disait: «M'est d'avis qu'y va encore faire une chaleur de zate aujourd'hui», je ne le répétais à personne. Parce que personne n'avait à savoir qu'en ce mois d'août aux températures faites pour les lézards et les cailloux, Lou-Ann McCaskill ne se faisait aucune illusion, elle éprouvait un désespoir météorologique, elle ne s'attendait à aucune gentillesse, aucune miséricorde venue du ciel sans nuages, pas même quelques degrés de moins que la veille, qui lui feraient dire, les deux bras dépliés sur les accoudoirs du fauteuil de barbier : « Touré ! On respire mieux qu'hier, pas vrai ? » Mais le maire poursuivait sur le même ton : « Y a aussi cette petite, là, cette petite pute qui montre ses tétons au Toucan Dingue... C'est quoi déjà son nom ? Dickinson ! Emily Dickinson... Elle est v'nue s'moucher dans ton fauteuil, ch'parie ! C'est des folles furieuses dans ç'te famille ! Mon frère a déjà fait d'la taule à cause de la mère... Et maintenant c'est sa fille qui s'y met ! Elle accuse mon frère de harcèlement sexuel ! Tu l'crois, ça ? Elle menace d'aller voir les flics si y continue ! Mais c'est son métier, à cette pute ! Elle est payée pour se faire harceler sexuellement ! Elle t'a dit quoi, Tom ? Elle va l'balancer, mon frère ? » J'ai répondu d'une voix serrée qu'Emily n'était jamais entrée dans mon supermarché, pas une seule fois. Le maire a fixé mes annuaires téléphoniques. Sa langue trempée de salive débordait de sa bouche. « Paraît que t'as des espèces d'archives... Tu notes tout, on m'a dit... » En guise de rire, ma gorge a lâché un couinement idiot : « Là-dedans, c'est d'la poésie, Jeff... J'écris rien de ç'que les gens racontent. » J'avais déjà rempli six annuaires depuis l'ouverture du Bonheur. Il y en aurait combien à la fin ? Vingt ? Trente ? Est-ce que c'était ça, mon nombre, celui qui allait résumer ma vie et qu'on pourrait lire sur ma tombe ? Jeff a écrasé un pouce au milieu de son énorme front : « Faudra penser à aider ceux qui t'ont aidé, Tom. » Il est parti, les mains dans les poches, en chantant très fort et en faisant quelques pas de claquettes étonnamment agiles pour sa carrure d'autruche : « Buffalo Rocks aime le gras mais pas les ingrats ! Les ingrats, Buffalo leur casse les bras ! »

CE QUE J'AIMAIS, quand les gens se posaient sur le fauteuil de barbier, c'était regarder leurs corps, voir les muscles des visages remuer sous la peau, comprendre le langage des doigts, comment les cous supportaient les têtes, faire l'inventaire de toutes les formes d'épaules et de tous les tics, les soubresauts bizarres, et entendre les mots qui ont poussé dans le Pierrier, coye, touré, zate, crêle, toucaneux, les mots qui racontaient notre poussière, noirelle, poudre-à-souris, fadotte, piqueuse, crisse, gratte-gorge, pousselle, trompe-jour, tousseuse. Voilà ce qu'on fait pour apprivoiser une chose qui nous échappe : on la couvre de noms. Deux ou trois fois par an, je fendais le désert jusqu'au cinéma de Cornado. J'en sortais toujours déçu. Tout ce qui se jouait dans mon fauteuil de barbier était mieux joué qu'au cinéma. Mes clients étaient des acteurs-nés. Leur tristesse était de la vraie tristesse. Leur ennui, du vrai ennui. On ne pouvait pas se lasser de leur vérité. Et quand je sentais qu'un client mentait, il jouait le rôle du type qui ment mal comme aucun acteur professionnel ne saurait le faire. C'était l'enjeu qui changeait tout. L'enjeu de mes clients, c'était de sauver leur peau et leurs souvenirs. Le spectacle qu'ils donnaient, c'était la vie.

Ma cliente préférée, la plus matinale, s'appelait Fleur et buvait toujours, entre le lever et le coucher du soleil, une bouteille de whisky japonais : « Si je commence, je termine. J'ai une sainte horreur des choses entamées. » J'étais chargé de lui commander ses caisses hors de prix, venues d'Hokkaido, et de lui tenir compagnie pendant qu'elle buvait. Chaque jour, elle s'asseyait au bord du fauteuil de barbier, donnait trois pichenettes contre la bouteille pour attirer mon attention, et buvait une gorgée au goulot, avec une élégance que la plupart des gens n'ont pas quand ils trempent leurs lèvres dans une coupe en cristal. Je la revois déglutir et fermer les yeux, pendant que les mouches se cognaient aux vitres du Bonheur. Puis elle énumérait : « Noisette, bruyère, foin, tourbe » et soulevait une paupière : « Je dis n'importe quoi, Tom. J'ai un palais de cochon. Je ne fais pas la différence entre un bon whisky et un verre de Dry Corny, mais je m'offre toujours ce qu'il y a de mieux... Le meilleur whisky... Le meilleur paysage... Le meilleur ami... Je n'ai plus qu'à espérer que je ne resterai pas un cochon jusqu'à ma mort et que je saurai apprécier tout ça un jour. » C'était sa façon de me dire son amitié. Alors je lui répondais qu'elle était ma seule amie et que le temps que je passais auprès d'elle était ce que mon professeur M. Takemo appelait le printemps intérieur, cette sensation de fleurir au contact de quelqu'un. Fleur me coupait au milieu de ma tendre déclaration : « Dis plutôt que je suis ton amie à 5 %. » Fleur avait calculé que ses dépenses en whisky représentaient 5 % de mon chiffre d'affaires.

C'était sa silhouette qu'on croisait le plus souvent dans mes poésies. Fleur était l'héroïne de mes annuaires téléphoniques.

J'ai toujours vu Fleur en talons hauts. Et je l'ai toujours vue ridée comme un chou frisé, la peau cuite, en robe juvénile, les jambes nues, des zigzags de veines violettes à l'arrière des mollets. Les seules filles de Shellawick à porter les mêmes jupes que Fleur avaient quarante ans de moins qu'elle et travaillaient au Toucan Dingue. « Je me les tords, c'est tout », répondait Fleur quand je lui demandais quel était son *truc* pour gambader dans le Pierrier avec ses talons hauts sans se tordre les chevilles. Elle précisait d'un air satisfait : « Il y a un pli à prendre. »

Fleur n'avait jamais peur d'être blessante et disait toujours les choses avec une calme et brutale franchise. La première fois qu'elle m'avait demandé de lui acheter dix caisses de whisky japonais, elle m'avait dit : « Ne te tais pas comme ça. Tu peux dire ce que tu penses. Je n'ai rien à voir avec ces alcooliques qui répètent toute la sainte journée qu'ils ne sont pas alcooliques. » Fleur venait d'un pays où il faisait froid douze mois de l'année. « Un pays où ça ne sert à rien d'avoir des jambes, vu que, jolis gigots ou vilains gigots, toutes les filles ont les gigots emmitouflés. » À soixante-dix ans, Fleur était une femme éblouissante, avec de longs cheveux gris qu'elle n'attachait jamais, même à la pire saison chaude. Elle était venue dans notre région pour enseigner la géologie à l'université de Princebourgh. Le département des sciences de la Terre avait fermé l'année suivante et Fleur était restée chez nous, dans une caravane au sud de

Shellawick, saoulée de bonheur et d'alcool au milieu de notre Pierrier où elle pouvait, sans prendre froid, montrer ses jambes presque toute l'année.

Elle n'avait pas publié le moindre article scientifique depuis des années, mais elle me parlait avec ardeur du Cambrien, sa période de prédilection, qui dura 55 millions d'années et prit fin 485 millions d'années avant notre ère. Fleur grattait les accoudoirs du fauteuil de barbier tout en décrivant les terrains formés à cette époque. Ils contenaient les plus anciens fossiles d'animaux à coquille et à carapace. À mesure qu'elle s'enfonçait dans sa description, ses ongles, barbouillés de vernis rouge écaillé, griffaient de plus en plus fort le cuir brun. Je m'attendais à voir des bêtes jamais vues, à coquille multicolore, sortir de la peau du fauteuil et grouiller comme des bijoux sur les mains de Fleur. Comme elle avait arpenté des montagnes inimaginables de temps géologique, notre temps à nous lui semblait dérisoire. «Comment veux-tu que je prenne ça au sérieux, l'humanité! On ne peut pas prendre au sérieux un clin d'œil? Pourtant, c'est ce que nous sommes! Et c'est tellement court un clin d'œil que le risque, c'est d'avoir mal vu! Si ça se trouve, l'humanité n'existe pas, c'est juste une idée qui est passée par la tête d'un trilobite! D'ailleurs, je préfère ça... Quand on voit la tête des gens à Shellawick, l'humanité, on en revient!» Fleur soupirait et disait d'un air résigné: «Mais bon... Il faut bien faire avec ce qu'on a... Avec nos ridicules journées... Avec nos miettes de temps!» Fleur se mettait en colère, ses ongles traçaient des lignes blanches sur les accoudoirs. «Mais c'est pas parce qu'on n'a que des miettes qu'il faut se précipiter comme des rats sur n'importe quel moment qui se présente! L'après-midi, par exemple! C'est une chose affreuse! Il faut en finir une fois pour toutes avec l'après-midi! Quelle bêtise! Quelle absence totale de charme! De toute façon, il n'y a qu'un moment qui tienne la route, c'est le lever du jour. Le reste est bon à occuper tous ces idiots qu'on voit partout... Tu reconnaîtras que c'est quand même le pire des vices du Quaternaire, cette façon dégoûtante de se vautrer dans l'après-midi...»

Fleur poussait la porte du Bonheur chaque matin et elle m'inspirait toujours un nouveau haïku. Dès que quelqu'un entrait dans mon supermarché, j'ouvrais mon annuaire téléphonique et je sautais à la gorge du présent. Je savais bien que mes haïkus n'en étaient pas vraiment. Mais M. Takemo estimait qu'on ne blessait personne en contournant les règles très strictes du haïku. Le tout était d'en garder l'esprit de simplicité et de mélancolie. D'attraper en quelques mots ce qui vous passait sous le nez : un chien errant, une aube, une vieille géologue. Cailloux, poussière, rigoureusement tout pouvait finir en haïku. De temps en temps, je lisais à Fleur mes poèmes. En général, elle les aimait beaucoup. Quand quelque chose ne lui plaisait pas, elle soufflait un peu d'air par ses narines dédaigneuses et disait seulement : «Pas mon préféré.»

Les vrais haïkus sont sensibles aux saisons, à la garde-robe de la nature, ils sont pleins de cerisiers en fleur et de vent d'automne. Mais à Shellawick, on manquait de saisons. C'était l'été toute l'année. L'été qui s'affadit ou l'été qui se raidit, mais l'été malgré tout. Et même quand il neigeait, c'était une neige de revers d'été ; son blanc n'était pas de chez nous et fondait aussi vite qu'il pouvait pour nous fausser compagnie. Faute de saisons, j'écrivais des haïkus de désert.

Vert et brûlant
Lentement sur le paillasson
Le dos du scarabée

Le problème quand on manque de saisons, c'est de ne pas voir le temps passer. Les enfants de Shellawick vieillissaient mais les pierres ne poussaient pas, le Toucan Noir ne donnait pas de fruits. Rien n'était saisonnier. Faute d'arbres à habiller, faute de fleurs à sortir d'entre les cailloux, le printemps ne faisait rien renaître, il était raclé par les tornades de fin d'après-midi et forçait tout le monde à se courber, à balayer, les yeux entre les pieds. Tout au long de l'année, on ne connaissait que la mer noire du Pierrier et ses paillettes de quartz.

Quand je voulais avoir la preuve que, malgré tout, c'était le printemps, je traversais le Pierrier à la recherche d'un arbre. Un jour d'avril, le jour de mes trente ans, j'ai donné rendez-vous à mon ancien professeur M. Takemo sous le plus bel érable de l'université. J'ai traversé le désert avec la sensation de rouler vers un trésor et de savoir exactement où le trouver. Quand je suis arrivé, M. Takemo n'était pas sous l'érable. J'ai touché l'écorce crevassée, je me suis assis au pied de l'arbre, dans l'herbe heureuse, j'ai levé les yeux vers les fleurs rouges et j'ai à peine eu le temps de me dire tiens, je m'endors.

❧

Contre la chaleur d'août, les anciens disaient qu'il n'y avait qu'une chose à faire : ne surtout pas *s'agrouer*, c'est-à-dire ne pas brasser d'air en pestant, ne pas agiter d'éventail, rester immobile dans son fauteuil à bascule, à l'ombre, sur sa galerie, et regarder le désert cuire. Une année, j'ai fixé deux ventilateurs au plafond du Bonheur. J'avais dû mal les visser. Le plafond tremblait et une escadrille de guêpes me frôlait les tempes à chaque tour d'hélice. C'est à peine si je pouvais encore entendre les histoires de mes clients qui faisaient semblant d'avoir besoin d'une ampoule un 4 août, sous ce soleil sans bonté. Ce soleil blanc et gris, très haut dans le ciel, semblable à un grain de maïs racorni. Le maire de Shellawick trouvait que le soleil se rapprochait de plus en plus de la ville. Il le disait, furieux, debout comme la foudre, à chaque conseil municipal, et me le répétait, vautré dans mon fauteuil de barbier. Personne ne lui ferait avaler que la terre tournait autour du soleil puisque n'importe quel crêle pouvait bien voir que tous les matins, le soleil se levait au-dessus du Pierrier, dans l'axe du Toucan Dingue, et que tous les soirs il se couchait de l'autre côté du Pierrier, dans l'axe du Toucan Noir. Jeff m'expliquait que tout notre malheur, notre passion pour le Dry Corny, nos tempêtes de poussière, notre chômage, nos chiens errants maigres comme des carcasses de poulet, tout venait du fait que, dans la rotation qu'il exécutait autour de la terre, le soleil n'avançait pas droit et avait tendance, surtout l'été, à se rapprocher dangereusement de nous. Jeff se demandait si Dieu ne tenait pas exprès sa lampe de poche tout près de Shellawick pour torturer ses habitants et les punir de leurs fautes. D'ailleurs, si Dieu avait chassé notre fête foraine, notre seul divertissement, c'était bien qu'il voulait rendre inhabitable notre territoire. Dieu voulait nous voir partir.

«Lui résister, Tom, ça serait un péché.»

J'ÉTAIS CACHÉ DANS MON COIN, sous les ciseaux et les peignes, pelotonné et sans un mot. Mon père en oubliait ma présence. «Ch'crois qu'Tom adore son p'tit métier d'comédien… les plateaux d'tournage… Vous voyez, c'est comme une ruche… Ça grouille de gens mais on s'demande bien ce qu'y foutent des fois… Y a une grande gigue qu'est là pour maquiller les comédiens… Elle fait rien d'autre! Elle colle de la poudre sur les joues d'Tom! Elle travaille quoi? Vingt minutes par jour? Ch'peux vous dire que dans les studios d'New Paselina, on n'est pas à l'usine de Cornado, tordu neuf heures par jour au-d'ssus des tapis roulants! Tom m'a avoué qu'il aimerait bien faire ça plus tard… travailler dans la pub… réalisateur… ou producteur… ou quêque chose comme ça… Ch'trouve ça bizarre comme idée, mais après tout si ça lui plaît… Et puis, c'est pas l'argent qui manque là-bas, et ça c'est bien…» Mon père avait librement interprété notre discussion de la veille, quand nous roulions dans le Pierrier et parlions très fort pour couvrir la soufflerie du désert qui s'engouffrait par les fenêtres grandes ouvertes. Un événement exceptionnel avait eu lieu pendant la journée de tournage: Ignatius Reed, le dieu réalisateur, était tombé de sa chaise, par l'avant, sans chercher à

des doigts et quelque chose a poussé. Pendant des mois, la grue, les bulldozers et les pelleteuses ont mugi dans une immense cuvette fumante. À la nuit tombée, on voyait de longues nuques et des gueules dentées, des ombres de dinosaures qui vivaient de leur côté, sans nous vouloir de mal, occupées à digérer les pierres de la journée. Et puis en quelques secondes, un matin, contre toute raison, contre toute nature, c'est sorti de terre. Un gigantesque supermarché a poussé là où rien ne pouvait pousser, pas même le maïs. À Shellawick, rien n'était haut, nos châteaux d'eau argentés à six pattes dépassaient à peine entre les maisons sans étage, écrasées par le poids du ciel blanc, attirées par le sol, chaque jour un peu plus basses et épuisées. Seul le Toucan Noir nous regardait de haut (d'où les *toucaneux*, qui étaient les hautains et les vantards). Et quand quelqu'un n'en pouvait plus, le dos lourd, la peau noire de poussière, les mouches ricanant aux oreilles, il montait sur le bec du Toucan, se jetait dans le vide et se fendait le cœur en deux. C'est arrivé plus de dix fois. Mais pour se jeter de là-haut, il ne suffisait pas d'être désespéré. Il fallait de l'adresse dans l'âme et du sang-froid. Il fallait même une étrange puissance de vie pour escalader les gouttières de pierre, marcher à quatre pattes sur le bec du Toucan et se racler les genoux et les paumes contre la roche abrasive qui, vue de près, ressemblait à l'intérieur du corps humain, avec des millions de cavités, de picots et de sillons. Et si on se donnait la peine de mieux voir, on surprenait quelque chose bougeant dans le dédale des microscopiques fissures et on réalisait que c'était un insecte, dix insectes, mille cent dix insectes, que la vie grouillait sur les plumes du Toucan, juste à côté du saut qu'on s'apprêtait à faire. On se sentait comme ce géant penché au-dessus de la surface de la Terre, qui aperçoit au milieu du désert inhabitable quelque chose qui bouge, un habitant, dix habitants, puis tout à coup, en écarquillant d'immenses yeux roulants, les mille cent dix habitants de Shellawick, planqués dans l'ombre de leurs habitations grises, fondues dans le grand noir alentour, régurgitant par leurs portes le désert en poudre, les mouches, une odeur d'ennui et de pâte à beignets.

Je me suis retrouvé avec le plus beau supermarché du désert de Tahoneck juste en face de mon petit Bonheur. Ils l'ont appelé «Horn of Plenty»: corne d'abondance. Son nom me défiait en lettres rouges d'un mètre cinquante de haut. Il était si moderne et si grand que mon Bonheur n'était plus rien – une pauvre épicerie dont les jours étaient comptés. En plus de la surface de l'ancien bowling, le nouveau supermarché occupait un vaste espace gagné sur le Pierrier – ou plutôt volé au Pierrier. Quand il est sorti de terre, les gens ont d'abord cru à une offrande divine pour éradiquer le chômage qui frappait Shellawick. Ils ont pensé que beaucoup d'entre eux n'auraient plus à traverser chaque jour le Pierrier pour aller se prosterner devant des pop-corn et suer au bord des bassines de caramel. Mais comme nous l'a expliqué Jeff Woolsen d'un ton geignard de fausse indignation – ce genre de ton qui ne cherche même pas à cacher qu'il ment: «*Ils* nous ont livré le supermarché clés en main: bâtiment, direction, transporteurs, chefs de rayon, femmes de ménage, et toute la sauce... *Ils* recherchent juste quelques caissières...» On a voulu savoir qui étaient ces *ils*. «Des jaunes», a répondu le maire d'un air évasif. La colère montait: «Quels jaunes? Qui ça!» Alors le maire a pointé le doigt en l'air: «Vous voyez pas l'bison?» Dans le R de HORN se cachait le logo de Buffalo Rocks – une tête de bison avec un épi de maïs jaune en travers du mufle. J'ai regardé le ciel et j'ai vu une buse de Swainson, son ventre blanc et ses longues plumes à hachures grises, coiffe indienne volante, le regard tordu vers nous, le bec comme une lame de poignard courbe. La buse nous tournait autour en dessinant dans le ciel un cercle de la taille de Shellawick. La vue devait être belle de là-haut : au loin, la limite du Pierrier, les prairies constellées de vaches, et à pic sous ses serres, le long du nouveau supermarché, la ligne des caddies flambant neufs formant une rivière de lumière diamantée, tourmentée, crépitant au soleil blanc.

Le jour de l'ouverture de mon grand concurrent, les chiens errants aboyaient, la poussière brillait d'excitation, s'épaississait, dévalait les rues de Shellawick, s'engouffrait sous les portes, formait des gueules ouvertes de monstres et ressortait par les fenêtres à guillotine. La ville bruissait et croquait des ongles, ça attendait. Cet été-là, une chanson entêtante et inarticulée passait en boucle à la radio. Elle rappelait la musique frénétique que nos grands-pères jouaient dans les bals, accompagnée de claquements de talons enjoués et d'instruments qui tiennent dans la poche. The Pink Sioux – c'était le nom du groupe – rencontrait un succès proche de l'idolâtrie dans tout le pays. Comme deux membres étaient originaires du désert de Tahoneck, beaucoup de mes clients se sentaient responsables de ce succès. «Depuis l'temps qu'on s'donne du mal et qu'on frotte la poussière, quêque chose de bon allait finir par en sortir!» Ce matin-là, je fredonnais le fameux tube, une version personnelle tout en *wa-wa-wa*, battant la mesure contre mon paillasson qui toussait du gris, me demandant qui allait me trahir le premier en mettant les pieds dans le nouveau supermarché.

Ce fut Fleur, en talons hauts. Des commerçants de Shellawick, Dundrove, Pessahee et Tahoneck s'étaient réunis au milieu de la route et scandaient: « Buffalo veut notre peau ! Boycottons tous le bison ! » Ils se sont écartés pour laisser passer Fleur. Elle a disparu à l'intérieur du grand supermarché.

Un quart d'heure plus tard, elle est ressortie en se frictionnant les avant-bras. Le barrage des commerçants s'est à nouveau brisé pour la laisser passer. Elle n'avait rien acheté. Quelle flambée de joie dans mon ventre ! Voir Fleur traverser Small Fox Road au pas de course, les mains vides, ses cheveux brillants tombant de chaque côte de son visage en cuir plissé comme deux poissons argentés.

« Sers-moi mon japonais ! Un grand verre, je te prie ! Ils sont complètement fous ! Il fait 15 degrés là-dedans ! Ça m'a rappelé mon pays d'emmitouflés ! »

Fleur ne m'a pas raconté ce qu'elle avait vu là-bas. Et par fierté, je ne lui ai posé aucune question. Elle s'est installée dans le fauteuil de barbier et a parlé avec agacement d'un trilobite apparu au Jiangshanien, une des dix périodes du Cambrien. Ce trilobite était absolument aveugle. Fleur m'a annoncé cette nouvelle d'une voix fâchée et désolée, comme si elle se reprochait la mauvaise santé de l'animal, puis elle a pointé le doigt en direction du nouveau supermarché et m'a dit sans avoir repris son souffle: « Il faudrait être aveugle et magnifiquement con pour continuer à faire ses courses chez toi. »

J'ai coupé la tête de ma fierté pour poser à Fleur quelques questions, l'air le plus détaché du monde. J'ai appris qu'en face, rien n'était cher. Il y avait deux cents variétés de yaourts. Et même un comptoir de pharmacie, un box d'esthéticienne, une jardinerie, une armurerie et un « coiffeur-barbier express » (j'ai entendu mon père se retourner dans sa tombe). Fleur s'est vivement redressée en serrant les accoudoirs : elle avait oublié de me dire que le trilobite *Agnostotes orientalis* était un fossile dit stratigraphique, c'est-à-dire qu'étant rattaché à une époque géologique délimitée dans le temps, il permettait de dater la couche géologique dans laquelle on le retrouvait. Tout en écoutant la voix brusque et précise de Fleur, j'ai ouvert mon annuaire téléphonique :

Ses talons hauts :

Un réservoir

De poison

Les gens venaient de Tahoneck, Dundrove et New Paselina pour faire leurs courses dans le nouveau supermarché. Et même parfois de villes bien plus éloignées, comme Pessahee et Princebourgh, à la frontière du Pierrier. Il n'y avait qu'à Cornado qu'on pouvait trouver un pareil paradis de la consommation. Je me souviens d'un vieil homme qui se promenait avec son masque et sa bouteille d'oxygène. Il s'était assis sur mon fauteuil de barbier et m'avait dit de sa voix faible et sifflante que l'arrivée du supermarché le rassurait énormément. « J'me sens en bien meilleure santé depuis qu'il est là… J'ai moins d'angoisses… C'est comme si y pouvait plus rien m'arriver… Des fois, j'vais faire un tour là-bas et j'me sens revivre… J'me sens jeune… J'me dis que tout est possible… »

Le nouveau supermarché s'ouvrait par trois paires de portes transparentes, avec des stickers Buffalo Rocks à hauteur de nez, pour ne pas se cogner. De quel ventre extraterrestre étaient nées ces vitres pour ne jamais attirer notre poussière ? Le temps passait et les portes restaient propres et neuves comme à leur sortie d'usine. À Shellawick, on savait pourtant que ça ne servait à rien d'avoir des carreaux aux fenêtres : tout s'encrassait en l'espace d'une tempête. La poussière se posait, presque inaperçue, sur les baguettes entre les vitres, puis elle gagnait du terrain, empoudrait le verre et finissait par empêcher de voir à travers. Même en griffant la vitre avec un ongle, la poussière restait là, dure comme une coquille d'œuf. Les minuscules grains sédimentés formaient une couche incassable. Fleur se promenait souvent dans les rues, à la recherche de ces carreaux souillés, étincelants de quartz, qui changeaient d'humeur selon l'heure et la lumière. Elle disait que Shellawick était un musée à ciel ouvert. « Et pas une seule croûte ! Rien que des chefs-d'œuvre ! »

Contrairement à Fleur, la plupart des gens ne voyaient pas d'art là-dedans, mais des croûtes. Des croûtes de poussière qui étaient notre seconde peau. La poussière se moquait de nos efforts et régnait sans partage. Personne ne partait en guerre contre elle. On vivait sous sa loi grise, elle s'infiltrait dans les poils des sourcils, dans les brosses à cheveux, derrière les pavillons d'oreilles. On en retrouvait sous les ongles des bébés. Au fond de nous, derrière les soupirs et les jurons, on respectait profondément la poussière, la *poudre-à-souris*, l'écume millénaire du Pierrier. Personne ne nettoyait les carreaux croûtés de cendre. On se contentait de balayer le sol et d'ouvrir les fenêtres en grand pour faire entrer la lumière. Les portes coulissantes du nouveau supermarché, couleur de ruisseau de montagne, étaient un mystère et un affront. On ne savait pas qui, ni à quel moment de la journée où tout le monde avait la tête tournée, mais quelqu'un devait forcément astiquer plusieurs fois par jour les portes d'entrée, au mépris de nos lois innommées, avec un produit d'une puissance démoniaque, un dégraissant industriel ou quelque chose comme ça. Les portes s'ouvraient et se fermaient avec un léger bruit de glissière. Un coulissement de serpent dans le silence du Pierrier. Et à chaque fois que ces portes s'ouvraient, je sentais un pincement glacial me raidir le dos. Pas seulement parce que mon supermarché se vidait de son sang, mais parce qu'à chaque fois que le nouveau supermarché susurrait son bruit venimeux, une haleine de glace sortait de sa gueule trop propre, lavée de toute poussière vitale, de toute empreinte collante de doigts d'enfant. C'étaient les portes de la mort.

J'ai frissonné de malheur quand Fleur a prononcé le mot «climatisation». Mon sort était scellé. L'air climatisé était un argument suffisant pour réunir sous le même toit tous les habitants de Shellawick de juin à septembre. Pour contrer l'attaque déloyale, j'ai aussitôt fait installer deux ventilateurs au plafond de mon supermarché, avec des pales de bois sombre et verni, comme le hors-bord en acajou que Jeff Woolsen conduisait à toute vitesse sur le lac de Paselina, traînant au bout d'une laisse tendue sa femme souple, minuscule, musclée, en maillot de bain doré, enchaînant sur ses skis également dorés d'incroyables figures acrobatiques. J'ai placé un panneau sur le trottoir: «Ici AUSSI, système électrique de rafraîchissement de l'air».

Malgré l'acajou au plafond, mes clients ont changé de trottoir. Pas du jour au lendemain, bien sûr, mais comme une fuite insidieuse, goutte à goutte. Chaque semaine comptait ses nouveaux disparus.

Certains ont continué à s'asseoir sur le fauteuil, sans rien acheter, mais leurs confidences étaient gâchées. L'ombre boueuse du grand supermarché traversait la rue et nous éclaboussait les pieds. Je me suis retrouvé seul, en compagnie de mes produits, mes boîtes, mes tabliers à fleurs, mes rubans tue-mouches. J'ai arrêté de faire tourner les ventilateurs. J'allumais les néons seulement quand il faisait trop sombre pour trouver mon chemin entre les rayons. Je comptais chaque pièce de monnaie qu'il me restait. Pendant longtemps, je me suis nourri des crèmes brûlées et des tranches de fromage qui vieillissaient dans mes placards réfrigérés. Les mois ont passé, les emballages se sont délavés très lentement. Un matin, dans une allée voilée de poussière, je me suis figé devant un paquet de grains de maïs soufflés au miel : l'abeille jaune et noir était pâle et mourante, même son sourire était malheureux. Tout a fini par se faner, chaque objet a marché comme un condamné vers sa date de péremption. Fleur était la dernière à me rendre visite dans ma caverne. Ses talons hauts cliquetaient sur mon plancher. J'avais peur de ne plus entendre ce bruit un jour. Comme je n'avais plus assez d'argent pour lui commander son whisky japonais, Fleur venait avec sa bouteille de Dry Corny sous le bras. Mon état ne l'attendrissait pas. Ses manières franches et abruptes étaient intactes :

« Passe au moins un coup de balai, on dirait le Pierrier ! Tu as une tête de clochard. Un matin, on va te trouver fracassé au pied du Toucan : tu te seras tout bonnement tué pour une histoire de yaourts et d'air climatisé. Ne sois pas ridicule ! Reprends-toi ! Personne n'a dit que la vie était heureuse ! »

QUAND LE GRAND SUPERMARCHÉ EST ARRIVÉ, je restais des heures sur mon paillasson, à observer mes anciens clients se faufilant comme des voleurs entre les portes en ruisseau. Ils ressortaient trente minutes plus tard avec des mines de traîtres. Il y avait trois espèces d'infidèles. Ceux qui me saluaient comme si de rien n'était. «Ah t'es là! Salut Tom!» Comme s'il m'arrivait d'être ailleurs. Comme si je n'étais pas du lundi au samedi invariablement là, à regarder mon naufrage. Il y avait ceux qui se cherchaient des excuses. «Touré d'chaleur des tripes de l'enfer! Un peu d'fraîcheur, coye! On n'est pas des cailloux!» Et il y avait les plus doux, les plus décevants, mes préférés, qui n'osaient même plus tourner le cou de mon côté, leurs yeux roulaient sur l'asphalte poussiéreux, éventré, criblé de nids-de-poule, la tête enfoncée dans leur col, les sacs de courses en papier kraft bien rondouillards, bien coupables, compressés sous les bras pour paraître plus maigres. Et sur chaque sac, la grosse tête de bison avec un épi de maïs en travers du mufle.

Comme la porte du Bonheur ne s'ouvrait plus que pour laisser passer Fleur, la source de mes haïkus s'est tarie. Pendant un temps j'ai fait semblant de croire que des clients continuaient à entrer dans mon supermarché. J'ai essayé d'écrire mes poésies en observant ces fantômes. J'ai repensé à ce que me disait M. Takemo : « Un érable apparaît quand on ferme les yeux et c'est un véritable érable. » Mais l'érable n'apparaissait pas. Je devais manquer d'imagination. Je fermais les yeux, rien ne se passait, mon esprit fabriquait des clients sans chair et sans voix. Plus une goutte de sève ne coulait dans mes haïkus. Un matin, j'ai imaginé que quelqu'un entrait, un client bedonnant, et j'ai écrit dans un annuaire téléphonique :

Un client
Entre
Il est gros

J'en ai pleuré de découragement. Je n'avais jamais ressenti un tel besoin d'écrire. J'ai retiré le film transparent autour d'un annuaire tout neuf, et en haut de la première page j'ai écrit : « Vie et Mort d'un supermarché ». Je me suis demandé si le roman devait commencer quand Matt s'était assis pour la première fois dans mon fauteuil de barbier ou bien un an avant, quand mon père s'était tiré une balle dans la tête, assis dans le même fauteuil. J'ai finalement choisi comme point de départ le jour de mes dix-sept ans. Mon père venait de m'annoncer que ses économies serviraient jusqu'au dernier centime à payer mes études à l'université de Princebourgh. Son rasoir faisait du patin à glace sur ma peau. J'étais plaqué tout au fond du fauteuil de barbier.

« Qu'est-ce tu dis d'ça ?

– L'université ?

– Ouais? Tu t'vois là-bas?

– Ch'uppose.

– Alors, c'est fait.

– J'vais t'aider à payer, p'pa, avec l'argent des pubs.

– Rien du tout! C'est ton argent... Tu vas tout garder pour plus tard! Tu t'achèteras un porc-épic en diamants.»

Après une longue minute de silence – le parfum de citronnelle de la mousse à raser, le parfum d'huile de pied de bœuf du fauteuil, le raclement du rasoir sur ma peau –, j'ai articulé, un gros chat dans la gorge:

«Merci, p'pa.»

Et après un autre silence, dur comme une pierre:

«Ça devient dru, dis-moi! C'est d'l'homme!

– Quoi?

– Ta barbe, Tom! C'en est d'la vraie maintenant! C'est d'la barbe d'université, on dirait!

– C'est un sacrifice, pour m'man et toi.

– Zate! Tu veux que ch'te dise? Chu' l'plus heureux des hommes.

– Mais la maison à New Paselina?

– La cabane, tu veux dire? C'est une lubie d'ta mère, ça! Elle a du sang, tu sais! Ses ancêtres vivaient au bord du lac! Explique-moi ç'que j'irais foute au bord d'un lac?

– Tu disais qu'tu voulais t'acheter un canoë et pêcher ton poisson...

– J'ai dit ça, moi? Un canoë, t'es sûr? Les gens du Pierrier, ça sait pas flotter... Ça coule à pic... On est comme les chats, on n'aime pas l'eau... Ou alors en forme de glaçon dans un verre de Corny...

87

« – Mais la pêche? T'avais bien envie d'pêcher? Faire griller l'poisson au barbecue derrière la cabane…

– J'vais m'acheter une canne à pêche, si c'est ça qui t'tracasse! Mais j'me vois pas dans une cabane, à rien foute de la journée… C'est pour les artistes et les fainéants, les cabanes…

– Tu vas pas r'gretter, au moins?

– Regretter? Mon fils à l'université? Ça s'voit qu't'as pas d'môme, Tommy!»

Son rasoir filait sur ma grosse pomme d'Adam et ma trachée saillante qui me donnaient un profil d'iguane. Mon père s'est redressé et j'ai vu dans le miroir ses joues couvertes de larmes. Pourtant rien dans sa voix n'avait remué. Les larmes suivaient différents chemins, certaines passaient au bord du nez et se perdaient dans l'épaisse moustache couleur de rouille, d'autres traçaient leur route au milieu des joues creuses, d'autres encore faisaient un détour par l'extérieur des pommettes et suivaient le contour anguleux du visage, jusqu'à la profonde fossette du menton. Il n'y avait pas le moindre bruit dans la boutique. Mon père s'est brusquement tourné vers la porte d'entrée, j'ai observé son dos étroit dans le miroir, ses cheveux blonds coupés court, sa nuque frêle et ses épaules qui semblaient toujours haussées, comme s'il portait des épaulettes en mousse sous sa chemise.

«J'ai cru qu'on frappait à la porte…»

Il l'avait dit avec une intonation tellement fausse que mon cœur s'est arrêté un instant de battre. Quand mon père a repris sa position au-dessus de ma gorge, j'ai vu qu'il avait essuyé ses larmes.

❧

J'ai passé quatre années à l'université de Princebourgh. Moi qui n'avais jamais lu ou jamais vu personne lire autour de moi, je suis devenu, en quelques mois, un lecteur affamé. Je ne peux pas dire, comme d'autres dans la même situation que moi, que j'ai été intimidé par les livres de la grande bibliothèque. Dès que je les ai côtoyés, je me suis senti leur égal. Peut-être que ce sentiment de familiarité entre les livres et moi est un fait exceptionnel, compte tenu de mes origines, de mon extraction – comme dirait Fleur avec sa vision géologique des choses. Peut-être que j'aurais dû, avant tout effort d'autobiographie, m'étonner de ce miracle, de cette amitié contre-nature. Je ne me suis pas battu contre les livres. Ils ne m'ont jamais rabaissé. Je n'ai pas consigné les mots, innombrables, que je rencontrais au cours de mes lectures et dont j'ignorais le sens, avec le projet de les mémoriser pour combler les lacunes de mon lexique personnel. Je me suis laissé porter, avec une passivité ardente, et j'ai appris à habiter les livres. J'ai appris à les déchiffrer comme un enfant apprend sa langue maternelle : souplement, en me trompant, sans me rendre compte de la révolution qui était en jeu – et à une vitesse extraordinaire. Situé à la frontière du désert et des prairies, le campus de l'université de Princebourgh était une pelouse lumineuse, plantée de grands arbres arthritiques et de six bâtiments en brique à colonnes et frontons, que reliaient des allées de graviers noirs, étincelants les jours de soleil, tous piochés dans le Pierrier. Pendant quatre ans, j'ai emprunté ces allées qui prolongeaient mon désert d'enfance. Dans ce décor, j'éprouvais une constante émotion d'érudition – cet état d'euphorie animiste qui m'inspirait du respect pour toutes les choses qui m'entouraient sur le campus. À la surface des allées, l'éclat du quartz exprimait exactement ce que je ressentais espérer écrire un bon haïku, il fallait toujours être aux aguets. Ne surtout pas être tendre comme une éponge, mais tout en muscles et sur le qui-vive, inquiet, s'attendant à faire une rencontre. Je suppose que ce qui vaut pour les haïkus vaut pour les choses plus longues, comme les romans, mais je n'en suis pas sûr. J'ai suivi ce conseil et j'ai essayé d'écrire comme un animal qui va boire au ruisseau et qui n'est jamais tranquille. Il serait faux de dire que l'animal a peur. Il sait simplement que s'il ne fait pas attention, la vie lui passera sous le nez. «Nos morts sont innombrables quand on n'observe pas la règle des aguets», disait M. Takemo, qui s'asseyait le premier sur le sol en damier beige et noir du grand hall. Je m'asseyais à côté de lui et notre concours de poésie spontanée pouvait commencer. M. Takemo était la gentillesse faite homme. Son don de fouilleur du monde visible m'a contaminé comme une maladie radieuse. Le virus s'est répliqué à l'infini dans mon corps, ce corps fixe comme une affiche publicitaire, appesanti par une enfance passée avec les cailloux, sous le couvercle en marbre du ciel. C'est de la terrible immobilité du Pierrier qu'ont jailli mes poésies, comme si toutes mes forces imaginatives s'étaient accumulées patiemment, dans des bulbes de fleurs, grondant souterrainement, prêts à percer le sol en damier beige et noir, à l'heure printanière.

L'université avait beau se trouver à seulement 34 miles de Shellawick, je ne rentrais chez mes parents que trois fois par an. Je croisais des amies de ma mère qui m'appelaient «Cordon bleu» en clignant de l'œil, sans que je comprenne pourquoi. Avec un petit rire qui voulait me faire croire que tout cela n'avait pas beaucoup d'importance, ma mère me disait qu'elle était étonnée de me voir si peu et plus étonnée encore que je ne raconte rien sur ma vie à Princebourgh. Une heure plus tard, je plongeais mes mollets à poils roux dans l'eau bouillante de mon bain et à travers la cloison j'entendais mon père s'emporter contre ma mère, en chuchotements furieux : «Tu crois pas qu'il a aute chose à foute qu'à rendre visite à ses vieilles pelles? Avec ses révisions, ses examens, coye! L'université, c'est pas comme couper la barbe ou trier l'maïs par couleurs! C'est plus important qu'ça, l'Indienne! Fous-lui la paix!»

Depuis ses dix-sept ans, ma mère travaillait dans l'usine de popcorn de Cornado. Elle faisait partie de l'équipe d'employées – toutes des femmes – postées le long des gigantesques tapis roulants, toujours penchées en avant, chargées d'attraper les grains de maïs noirs indésirables au milieu de leurs millions de frères jaunes, et de les déposer dans des nacelles suspendues à un rail aérien. Le chef de ma mère s'appelait Bob Thornberry et n'en finissait pas de laisser traîner des doigts sur toutes les hanches, les gorges et les cuisses. L'équipe des *trieuses* s'occupait aussi de jeter dans une longue rigole latérale les grains de maïs gâtés, atrophiés, brisés, bref, mal aimés du Seigneur qui semblait avoir envoyé le maïs dans notre région comme substitut du Christ, pour que chacun s'en nourrisse à tous les repas, le vénère et lui sacrifie ses lombaires et sa vie. Ma mère était sûrement fière d'avoir un fils étudiant à l'université, mais elle couvait sa joie et la gardait pour elle. «À l'usine, personne est au courant», me disait-elle, satisfaite, considérant que je trahissais la cause du maïs et du travail physique et qu'il valait mieux ne pas parler aux gens de cette excentricité qui me ferait passer pour un toucaneux. Ma mère avait une collègue, Lou-Ann, dont la sœur était femme de ménage à l'université de Princebourgh – elle nettoyait le sol en damier beige et noir où M. Takemo et moi passions un temps infini. À l'heure où les trieuses ouvraient leur Tupperware dans la grande cour de l'usine et comparaient du bout de l'œil leurs menus, Lou-Ann avait déclaré, un peu affolée, et semblant attendre un démenti de la part de ma mère, que sa sœur m'avait croisé sur le campus de l'université. «J'me suis pas démontée, m'a dit ma mère. J'ui ai dit qu'tu travaillais à la cantine! Qu'tu préparais la bouffe des étudiants!» Ma mère semblait vraiment fière de son à-propos. «Lou-Ann a demandé si t'étais un permanent ou un contrat court. J'ai répondu permanent du tac au tac. Les filles en r'venaient pas! Elles t'ont applaudi, Tom! Lou-Ann était vraiment contente pour toi…» Ma mère évitait de contrarier Lou-Ann, qui faisait des crises de tétanie dès que quelque chose ne se passait pas comme prévu. «Je supporte pas quand c'est l'monde à l'envers.» Or une trieuse ne pouvait pas avoir un fils étudiant en littérature à l'université de Princebourgh. C'était le monde à l'envers et la crise de panique assurée.

Ma mère et Lou-Ann avaient un secret : elles tenaient le Grand Compte. Du matin au soir, comme une longue prière murmurée, elles comptaient les grains de maïs noirs ou gâtés, en moyenne deux mille par jour et par ouvrière, qu'elles retiraient du grand tapis roulant et mettaient de côté. À la pause du matin et à l'heure du déjeuner, elles comparaient leurs chiffres. Ça n'avait rien d'une compétition : elles additionnaient leurs scores et leurs efforts ne faisaient plus qu'un. Elles accomplissaient leur rituel dans le dos de Bob Thornberry. C'était un chapelet qui les reliait dans le travail, même quand elles étaient aux deux extrémités du tapis roulant et ne pouvaient pas se voir, chacune courbée en avant, chacune étourdie par le paysage hypnotique des billes jaunes frissonnantes, fouillant avec les yeux et jetant leurs doigts sur les intrus, les noirs, les malades, les anormalement petits. Lou-Ann disait que quand elles arriveraient à un milliard, elles auraient de quoi s'acheter deux petites cabanes voisines, au bord du lac de Paselina.

J'étais devant la porte, prêt à repartir pour l'université. Ma mère avait remis bien à plat sur mon épaule la bandoulière de mon sac rempli de linge propre. Elle a frotté la cicatrice sur son front, et avec un tremblement d'inquiétude dans la voix : « Ch'uppose que c'est bien, les études, mais va quand même pas croire qu'tu vaux plus que nous, Tom Samuel Elliott. »

Quand je l'appelais le dimanche soir, on ne trouvait rien à se dire. Elle me demandait si je me nourrissais bien, et en retour je lui demandais si elle se nourrissait bien. Elle me répondait qu'elle mangeait pour deux parce que mon père avait perdu l'appétit et devenait maigre comme son coupe-choux. Au cours de ces conversations du dimanche, effilochées, toutes pareilles, je ne comprenais pas pourquoi la voix de ma mère se durcissait puis s'assourdissait au point d'être inaudible – parfois je me demandais si elle n'était pas en train de pleurer. Pendant ma dernière année à Princebourgh, ma mère me disait souvent, mais sans aucune intonation de menace ou d'amertume : « J'espère que ça vaut l'coup, ton université, pass'qu'avec ton père, on a dû choisir ente ça et la cabane. Mais bon, t'es pas un voleur, tu sauras quoi faire. » J'ai mis un certain temps à comprendre que mon père avait promis à ma mère que mes études m'assureraient, selon l'expression consacrée, une excellente situation, et que je ferais profiter mes parents de mes confortables revenus. On attendait de moi que je débarque un matin avec une cabane de pêcheur sous le bras.

Le jour de ma remise de diplôme, ma mère se voyait comme le Toucan Noir au milieu du Pierrier. Sa robe avait dû lui coûter une fortune. Elle lui étranglait la poitrine et ressemblait à un plumeau pour dépoussiérer les meubles, avec sa coupe ébouriffée, en pétales touffus, d'un jaune chatoyant. Mon père, en costume gris, magnifiquement élégant, est resté debout, sec et droit comme un cactus, tout au long de la cérémonie, même quand, après avoir invité tout le monde à s'asseoir, le doyen de l'université s'est adressé à lui d'une voix chaleureuse et enjouée : « Je vois un papa si fier de son enfant qu'il préfère rester debout pour ne pas rater une miette du spectacle ! » Ma mère a aussitôt plongé son visage derrière ses mains et des éclats de rire ont parcouru le public, comme des doigts courant sur une harpe. Après la cérémonie, ma mère m'a expliqué d'une voix rude, où perçait une nuance de reproche, qu'ils ne resteraient qu'un tout petit moment, que je ne leur avais jamais présenté mes amis et qu'ils ne connaissaient pas une seule tête parmi les diplômés et leurs familles. Je lui ai dit que je n'avais aucun ami à Princebourgh, à part mon professeur de linguistique. Ma mère a soufflé dans ses narines exaspérées pour chasser ma remarque. Elle s'est mise à s'agiter et à me raconter, d'un timbre aigu qui menaçait de dérailler, qu'elle avait dégoté sa robe dans une boutique chic de New Paselina, à quinze minutes à pied du lac, et qu'elle en avait profité pour aller voir Lou-Ann, sa collègue de Buffalo Rocks qui venait de s'acheter une magnifique cabane juste au bord de l'eau avec l'argent d'un héritage, mais qu'elle n'avait pas pu rester longtemps avec Lou-Ann parce qu'il fallait qu'elle trouve cette foutue robe de remise des diplômes. Elle a tiré sur son col et s'est retrouvée avec deux pétales jaunes dans la main. Elle m'a dit que la vendeuse lui avait refourgué ce modèle affreusement cher sur lequel il avait fallu faire trois retouches payantes. Je voyais bien que malgré les retouches, c'était à contrecœur que la robe avait épousé la forme du corps de ma mère. Mon père a fait une brève incursion dans la conversation : «Elle a l'air d'un poussin sorti d'l'œuf, tu trouves pas?» Il a eu un petit rire, coupé par une grimace de douleur. Ma mère s'est pincé les lèvres et a dit que toute cette histoire était un beau gâchis. Elle a griffé la cicatrice sur son front, mon père lui a pris doucement la main pour qu'elle arrête. Les yeux de ma mère ont rougi et j'ai vaguement deviné que le problème n'était pas la robe, ni la colère de ne pas avoir, comme Lou-Ann, sa cabane au bord du lac, ni même l'émotion de voir son fils diplômé, décapitant net une lignée de barbiers. Ma mère a saisi mon bras et m'a tiré vers une nappe blanche bien repassée, couverte de verres à pied et de petits-fours. Sans me regarder, la main piochant des choux au fromage, elle m'a dit que mon père était resté debout pendant la cérémonie parce qu'il ne pouvait pas rester assis cinq minutes sur une chaise sans souffrir atrocement. Le voyage pour venir en voiture avait été abominable, il avait fallu s'arrêter tous les deux miles. De loin, sous un arbre, mon père m'a fait un signe de la main et un immense sourire, bien plus grand que son visage très maigre. La main de ma mère s'est refermée sur les trois petits choux ventrus et les a complètement écrasés. J'associerai toujours la vision de ce poing serré aux mots qui sont sortis de sa bouche maquillée de travers: «C'est un cancer, Tom. Ça lui dévore tout le ventre. Y a plus rien à faire.»

Une semaine après la cérémonie de remise des diplômes, mon père a glissé son rasoir coupe-choux dans la poche intérieure de sa veste. Il s'est assis dans son fauteuil de barbier et s'est tiré une balle de fusil sous la mâchoire. Il a laissé un mot, s'excusant pour l'état «pas jojo» dans lequel on allait le trouver, et nous priant de dépenser le moins d'argent possible pour l'enterrer. «Si vous trouvez, dans leur catalogue de voleurs, un cercueil en polystyrène ou une espèce de grande chaussette géante pour emballer les pauvres, c'est là-dedans que je veux qu'on me range et pas autre part.» Sur sa tombe, Samuel Elliott ne voulait «pas de nom avec des dates comme si j'étais la reine d'Angleterre, pas de zigouigoui religieux et, par pitié, pas de citation à la crêle d'un grand auteur, ou alors juste "passe-moi le sel" pour rigoler».

Mon père ne voulait rien qu'un nombre, son 12, et qu'on n'oublie surtout pas de l'enterrer avec son rasoir coupe-choux. «Oubliez de me mettre dans le trou si ça vous chante, mais oubliez pas de mettre le rasoir dans ma poche (vous le trouverez à l'intérieur de ma veste).»

Malgré la couverture que mon père avait étendue sur le fauteuil, une tache de sang noir s'est infiltrée dans le cuir du dossier, avec deux rondeurs et un dard tordu, une espèce de cœur.

Larry, l'humoriste contrarié des pompes funèbres, a expliqué à ma mère que pour des raisons d'hygiène, il était interdit de glisser mon père «dans une grande chaussette». Ma mère a frotté la cicatrice sur son front et a choisi parmi tous les modèles existants le cercueil le moins cher. Alors j'ai senti que mon père, dans les paillettes de poussière qui voletaient alentour, fulminait et jurait tous les « touré de zate de coyote de voleur de croque-mort ! » qu'il pouvait jurer.

sorti un objet de son sac et l'a posé en évidence sur la table. Une pellicule moite et glacée m'a recouvert la peau. C'était cette vieille tortue en cuir, entièrement brodée de minuscules perles, qui me faisait si peur quand j'étais petit. Le cordon ombilical desséché de ma grand-mère se trouvait dans le ventre de l'animal. Quand j'étais petit, ma mère m'avait expliqué que le cordon ombilical était une liane de plusieurs milliers de miles qui reliait les générations entre elles depuis la création du monde. Chaque enfant, pour ne pas tomber dans le vide, était relié à sa mère et à toutes les mères de l'Histoire par un petit morceau de cette liane. Dans le peuple de ma grand-mère, la tradition était de garder ce trait d'union de chair dans une amulette brodée de perles et d'épines de porc-épic que l'on cousait au porte-bébé, puis aux habits de l'enfant, pour qu'elle le protège pendant les premières années de sa vie. L'amulette des filles avait la forme d'une tortue, celle des garçons, d'un lézard ou d'un serpent. Ma mère a poussé la tortue vers moi, elle a griffé très fort la cicatrice sur son front et elle a parlé sans me regarder. «Ta grand-mère Mary… quand elle a eu quatre ans, y sont venus la chercher dans la réserve avec des soldats. Et les parents qui voulaient pas laisser partir leurs enfants, on leur a pris d'force, le gouvernement leur a confisqué la nourriture… Il a même arrêté d'approvisionner la réserve… Ma mère s'est r'trouvée dans un pensionnat du Dakota du Sud… son frère dans un aute pensionnat, dans l'Dakota du Nord… et sa sœur dans l'Wisconsin… et ses cousins dans l'Minnesota. Y faisaient exprès d'les séparer, les frères et sœurs… pour qu'y perdent toutes leurs forces… qu'y puissent pas s'serrer les coudes ou s'révolter ensemble… Tu peux pas imaginer comment c'était, Tom… C'est pas imaginable… Quand les enfants entraient dans l'pensionnat, on jetait leurs habits... C'était comme de leur arracher la peau et les racines... Ma mère a réussi à cacher sa tortue... mais ses mocassins, sa robe brodée, on lui a tout enlevé... À la place, ils mettaient aux gamins des uniformes à la mode des Blancs... Et après, ils leur ont pris leur prénom pour le remplacer par un prénom chrétien... Ils l'ont appelée Mary, ta grand-mère... Les garçons, on leur coupait les cheveux... leurs cheveux longs... On les coupait très court... Le pire, c'était pas les punitions, les coups de fouet... la discipline de camp militaire... le pire c'est qu'on leur a volé leur langue. Dès qu'un mot sortait d'la bouche d'un enfant, un mot d'sa langue à lui... ils l'écrasaient comme un cafard... C'était la plus importante de toutes les règles dans les pensionnats... Interdiction totale de parler les langues indiennes... Pas un seul mot, rien, sinon c'était des coups, plus d'couverture, plus d'nourriture... Y se sont r'trouvés complètement perdus, les gamins... Y en a qu'essayaient de fuguer pour rentrer dans leur réserve, à l'aute bout du pays... On les rattrapait, on leur tapait d'ssus... Y en a qui tombaient malades dans leur tête... Y en a qu'avaient l'âme tellement triste qu'y devenaient stupides comme des statues... avec le r'gard dans l'vide toute la journée... Le gouvernement faisait exprès d'envoyer les enfants le plus loin possible de leur réserve, comme ça les parents avaient pas les moyens de payer l'transport jusqu'au pensionnat... et y passaient huit ans sans voir leurs enfants... Quand ma mère a quitté son pensionnat... quand elle est r'venue dans sa réserve... elle a crié en voyant ses parents! Elle avait peur d'eux! Elle avait honte d'eux! Elle les trouvait sales... Elle leur a dit: "C'est des habitudes de sauvages de dormir par terre et d'manger par terre! Pourquoi vous faites ça!" Son père lui a tourné l'dos... Et sa sœur est jamais rentrée d'son pensionnat du Wisconsin… Elle est morte de la tuberculose quand elle avait neuf ans… Son frère, il est rentré, lui… mais il est allé au lac de Paselina, et comme il avait l'cœur lourd, il a coulé comme une pierre. C'est pas l'seul qu'est allé s'noyer… Y en a eu plein… Après leurs années au pensionnat, l'gouvernement mettait les garçons dans des fermes… Ça f'zait des bras pas chers pour les Blancs… mais les Blancs les traitaient comme des moitiés d'sauvages rouges… et quand y rentraient dans leur réserve, c'était l'contraire, tout l'monde les voyait comme des Blancs… les gamins savaient plus qui y z'étaient… Y s'sont mis à boire… Et les cousins d'ma grand-mère ont bu plus que les autres pour oublier certaines choses qu'on peut pas oublier… Ça arrivait très souvent dans les pensionnats, ces choses-là… Dans les douches ou dans les bureaux des professeurs après la classe… et l'Bureau des affaires indiennes recevait des paquets d'plaintes… Elles s'empilaient jusqu'au plafond… »

Ma mère a vidé trois verres de Kansa-Cola. Il ne restait plus que les glaçons et elle continuait d'aspirer l'air dans la paille vide, regardant en direction du Pierrier, sa main caressant le dos en perles de la tortue, sans prêter la moindre attention à ce que je racontais. Des rides se formaient et disparaissaient entre ses sourcils, au rythme de ses pensées tristes. Je disais que j'allais bientôt retirer à la banque de Cornado l'argent que j'avais gagné quand j'étais enfant, l'argent des publicités Buffalo Rocks, et qu'avec cet argent, j'allais faire construire un petit supermarché exactement là où mon père avait taillé des barbes pendant trente ans. Ma mère ne m'écoutait pas. De profil sur sa chaise, elle scrutait un tourbillon lumineux, pas plus haut qu'une rognure d'ongle, au loin sur le Pierrier. La chaleur éclatait le paysage en morceaux. Le visage de ma mère ne formait plus un tout mais une série de détails – une cicatrice brune en relief sur le front, de la sueur sur les ailes de son nez busqué, du maquillage fatigué autour de ses yeux noirs et tombants. Et ses deux nattes, qu'elle s'était mise à porter quand j'étais entré à l'université et qui la faisaient ressembler à la seule photo que je connaissais de ma grand-mère. Je pensais à la cabane de pêcheur scotchée au mur de sa cuisine et je sentais que d'un instant à l'autre ma mère allait se tourner vers moi et me dire que j'étais un voleur et un égoïste. Mes paroles coulaient dans l'air brûlant. Je donnais des précisions sur les travaux à faire pour transformer la boutique de barbier en supermarché. Je regardais l'oreille de ma mère, face à moi, cette petite sculpture parfaite, semblable à la surface du Toucan Noir, les replis creusés par les ruissellements de pluie, les bombements modelés aux cris du vent, et au bout du lobe, cet anneau d'or sans éclat, qui ne célébrait rien et passait presque inaperçu – je n'avais jamais remarqué que ma mère portait des boucles d'oreilles et si quelqu'un m'avait posé la question, j'aurais dit que c'était sûr qu'elle n'en portait pas, parce qu'elle détestait se faire remarquer, même du bout de l'oreille. Et à cette oreille si discrète, j'ai raconté que même si je préférais ouvrir un petit supermarché sur Small Fox Road, l'université m'avait fait découvrir un espace à l'intérieur de moi, un pays qu'une vie entière ne suffirait pas à explorer. J'ai expliqué à ma mère que d'après M. Takemo, tous les êtres humains naissaient avec la capacité innée d'apprendre une langue, n'importe quelle langue. Et cette aptitude miraculeuse était la même chez tous les bébés. Par exemple, si, quelques mois après sa naissance, ma mère était partie vivre à Tokyo, dans une famille

avec elle. Un coup de vent arracha notre parasol Buffalo Rocks.
Il vola au-dessus du Pierrier dans sa jupe décolorée.

«Dans ton supermaché, là… d'vant ta caisse… t'auras qu'à
mette le fauteuil de barbier d'ton père.»

JE NE SAVAIS JAMAIS L'HEURE. Je ne savais plus où j'étais. Mon corps habitait dans *Vie et Mort d'un supermarché*. J'écrivais toujours à côté de ma caisse enregistreuse. Quand le soleil se faisait gober par le Toucan Noir, j'allumais les néons et plus rien ne distinguait les heures les unes des autres. Je n'avais pas besoin de réfléchir, c'était comme de remplir des étagères avec des boîtes de sardines. Les mots dansaient dans l'air et je n'avais plus qu'à les poser, les uns derrière les autres, sur les pages en papier recyclé de l'annuaire téléphonique. À force d'écrire, je n'étais plus dérangé par la faim. Je sentais à peine l'odeur aigre de ma chemise. Toujours la même chemise blanche. De plus en plus large et de moins en moins blanche. Je la gardais sur moi des jours et des jours, combien de jours, je ne sais pas. Les mouches grésillaient très fort autour de mes manches et de mon stylo, comme de petits vautours ivres. Parfois j'étais arraché à mon monde intérieur, à cause d'un bruit. On aurait dit un seau d'eaux usées qui se déversait devant ma porte. Je me précipitais dehors avec un balai, la couleur du ciel était douloureuse, blanc éclair. La grande flaque sale recouvrait le paillasson et le bas de ma porte. Les poils de mon balai se tordaient dans tous les sens, je raclais le sol en serrant les mâchoires, essoufflé, je rougissais, je suais, puis je m'arrêtais, avec, dans la bouche, une brûlure de honte, glacée à faire hurler la racine des dents. J'étais en train de nettoyer l'ombre du super-marché d'en face. Même en frottant à la folie, elle resterait campée là, de mèche avec le soleil.

Dans mon Bonheur, tout était périmé. Les produits pourtant éternels – éponges, serpillières et paquets de sucre – avaient la mine rassise des mourants. À propos de morts, mon père est venu se mettre derrière le fauteuil de barbier. Il était jeune, il avait à peine mon âge. Je le reconnaissais à sa façon de se tenir, à sa maigreur élégante, à ses épaules perplexes, éternellement haus-sées. Je n'arrivais pas à voir les traits de son visage. Le silence de canicule amplifiait les sons. Les mouches bourdonnaient comme des frelons. Penché au-dessus de moi, mon père raclait contre ma pomme d'Adam la lame couverte de mousse.

«P'pa! 'tention! Tu vas m'couper la gorge!»

Le rasoir appuyait de plus en plus fort sur mon cou. Je regar-dais le bleu clair de ses yeux. L'envie de le serrer contre moi était si poisseuse, si réelle, que je me suis pris dans mes propres bras, tout honteux, cajolant mes côtes, conscient d'avoir épuisé mes dernières réserves de raison.

Je n'avais pas entendu la porte s'ouvrir. Jeff Woolsen a frappé trois coups autoritaires dans ses mains. Il avait laissé tourner le moteur de son 4 x 4 devant Le Bonheur. Son front démesuré s'approchait de moi dans la pénombre, blanc et luisant comme une patinoire de hockey.

«Ça sent pas la rose, chez toi, Tom Elliott.

– C'est fermé, Jeff.

— Ah bon? La porte était ouverte, alors comme un crêle… j'ai cru qu'la porte était ouverte!»

Ça faisait un an que le grand supermarché avait ouvert sur le trottoir d'en face et c'était la septième fois que le maire venait me proposer de vendre mon commerce à Buffalo Rocks, qui le transformerait en chambre froide. («À la place du fauteuil de ton vieux, y aura des cadavres de bêtes trois fois plus gros que toi.») C'était la septième fois que je répondais à Jeff que je n'avais aucune envie de vendre mon petit Bonheur.

«J'vais pas t'envoyer les gars de l'inspection, Tom?

— Qui ça?

— Les gars de l'hygiène. J'vais pas t'les envoyer, si?

— Envoie-moi qui tu veux et sors d'ici.

— Attends… J'voudrais acheter une p'tite merde, ch'peux?

— Après tu t'en vas.

— Un paquet d'pop-corn, j'vous prie, monsieur Eliott.

— J'en ai pas.

— Ah ouais… C'est vrai! J'ai entendu ça! On m'a dit que Tom Elliott… le Popcorn Kid du désert de Tahoneck… lui qui doit tout à Buffalo Rocks… y vendait pas d'pop-corn dans son épicerie! J'ai eu beaucoup d'mal à l'croire… Ch'comprends pas bien… Explique-moi… Pourquoi tu fais un truc comme ça?

— J'ai pas envie d'vendre de pop-corn, c'est tout. Chu' chez moi.»

Jeff a éclaté d'un rire dégoûtant qui a fait remuer la peau flasque entre son menton et sa glotte. Il a soulevé son morceau de soie rouge pour le remettre en place : j'ai vu son œil mort, deux lèvres noires cousues entre elles.

envahissante, avait parfaitement raison. Le supermarché était une oasis au milieu du désert. Il y avait de l'air frais dans les allées. Pas de l'air en boîte, soupiré par des trappes, mais une vraie brise de campagne, qui prend son élan dans les pentes en fleurs. Sam passait la serpillière et le chiffon dépoussiérant avec une rapidité de personnage de cartoon, en pédalant sur place. J'étais un peu lassé de le croiser dans chaque allée et de l'entendre encore et encore me souhaiter une excellente journée, avec cette diction idéale de professeur d'université. J'étais sur le point de lui balancer un coup de pied dans le ventre pour qu'il se taise enfin, quand j'ai réalisé que Sam n'était pas seul. Il existait de nombreux Sam qui se répartissaient le travail, souhaitaient à tout le monde une excellente journée et gommaient sans cesse la poussière pour faire disparaître la preuve que le Pierrier nous encerclait. Comme Sam semblait très perfectionné, je lui ai demandé s'il savait où se trouvait Emily, sa collègue humaine, qui travaillait quelque part dans cette oasis. Les ampoules de Sam ont brillé de toute leur intelligence informatique. « Cher ami, si vous avez une question, je vous invite à la poser à l'auxiliaire d'accueil. » Je lui ai demandé si l'auxiliaire d'accueil était une femme, un homme ou une espèce de robot à roulettes. Sam a semblé vexé. Il m'a regardé de ses ampoules idiotes, s'est mis à clignoter, et s'est éloigné penaud.

Il m'a fallu du temps pour remarquer que le supermarché n'avait pas de bords. Par je ne sais quelle ruse d'architecte, on ne voyait jamais le bout des allées, qui formaient une spirale sans fin. On s'appuyait à la barre du caddie et il n'y avait plus qu'à se laisser aller, porté par le fond sonore d'une rivière qui coulait sans arrêt. Les allées étaient très légèrement en pente, de telle sorte que plus je remplissais mon caddie, plus il était léger, entraîné par sa cargaison. Le fond du caddie était recouvert d'une pellicule de bulgomme où les produits atterrissaient tendrement, sans s'abîmer, sans tinter, sans même me donner l'impression que je les avais posés. Je remplissais le caddie mais le caddie digérait tout au fur et à mesure : il restait toujours de la place. Le caddie n'avait pas de réalité matérielle. C'était une hotte à désirs, vaste comme l'appétit. Des panneaux m'indiquaient de quel côté poursuivre ma glissade ; ils ne se trompaient jamais. À chaque fois qu'une flèche m'engageait à aller à droite plutôt qu'à gauche, je me retrouvais dans le rayon de mes rêves, frissonnant d'un plaisir pénible. C'était la même joie douloureuse qu'à l'époque de la fête foraine, quand je traînais au pied des manèges. J'étais déchiré entre l'envie de me ruer vers le train de l'effroi et la frustration de manquer de temps pour faire toutes les attractions dans l'après-midi. Ma mère ne supportait pas de me voir dans cet état de désir inquiet. « C'est trop d'choses pour un enfant, ces endroits-là ! Tu sais plus où donner d'la tête ! Ça t'rend malheureux comme un roi ! » À ma connaissance, ma mère était la seule personne au monde à utiliser l'expression « malheureux comme un roi ». Mais sa signification a toujours été claire pour moi. Enfant, déjà, je plaignais les rois, qui souffrent de n'être jamais contredits et de pouvoir acheter autant de couronnes qu'il y a de pierres dans le Pierrier.

Je dévalais de nouvelles allées où les produits semblaient apparaître à mesure que je les désirais, disposés en quinconce, comme les canettes du chamboule-tout de la fête foraine. Par moments, je devais me baisser pour éviter de me cogner aux pancartes pendues à hauteur de visage : « PROFITEZ DE CETTE BELLE JOURNÉE. VOUS PAIEREZ UN AUTRE JOUR. »

Cette invitation ravivait un autre sentiment d'enfance – celui de n'avoir rien à prévoir. Être plein d'insouciance et de paresse, regarder ma mère vider les sacs de courses, et trouver normal qu'une assiette de porc au maïs apparaisse sur la table devant moi. Je n'avais plus un centime, mais les mots « un autre jour » m'ont mis du baume au cœur. Il ne s'agissait pas de payer « en trois fois », ou « en trois fois sans frais », ni même « dans un mois ». Il s'agissait de payer à une date tellement vague et incertaine qu'on s'imaginait ne jamais devoir payer. En réalité, si vous n'aviez toujours pas réglé la facture au bout de trois mois, la somme était prélevée sur votre paye, par le service de comptabilité de Buffalo Rocks.

Pour ceux qui ne travaillaient pas chez Buffalo Rocks, les choses se passaient autrement. On voyait débarquer chez soi deux types souriants et aussi polis que les Sam nettoyeurs. Si on ne payait pas, les types revenaient le lendemain, encore plus polis et souriants que la veille, demandant juste, pour s'être déplacés, un petit supplément d'argent, presque rien, mais comme, le jour suivant, la note avait encore enflé, on terminait le mois étouffé par une dette impossible à rembourser. C'est là que les deux types, qui n'avaient rien perdu de leur naturel serviable et arrangeant, sortaient d'une sacoche un contrat d'embauche en deux exemplaires et un stylo avec, sur le capuchon, le logo en forme de bison. Ils vous proposaient, mais avec d'autres mots, de vous lever avant le coq, d'étouffer dans un paquebot sur le Pierrier en cendres, d'enfiler des gants rongés par les brûlures d'huile et de passer le restant de vos jours, tout suant, à côté d'une bassine géante de caramel bouillant.

Mon estomac se tortillait comme une mouche prise dans la colle d'un ruban Bziter. Jamais de ma vie je n'avais eu aussi faim. Je suis sûr qu'ils vaporisaient dans l'air le bacille de la faim de loup. J'allais bientôt rentrer chez moi et dévorer mon caddie. D'abord je traverserais Shellawick, les bras chargés de paquets, le soleil blanc en tenaille sur les tempes, et je croiserais un gros lézard sans queue, arrêté net au milieu de la chaussée ardente, au sommet d'un monticule d'asphalte défoncé, la tête haute, la poitrine palpitante, l'œil rond orienté vers mes sacs en papier kraft qu'il pensait ne jamais voir dans mes bras, avec leur logo en forme de bison que les enfants de Shellawick savent dessiner dès l'école maternelle. Au moment où le lézard équeuté rejoindrait l'ombre du trottoir, j'ouvrirais ma porte moustiquaire d'un coup de pied et je viderais précipitamment mes paquets comme un enfant déballe ses cadeaux de Noël – tranches de dinde sous vide, cacahouètes grillées, miettes de crabe à la mayonnaise, fromage de Hollande en cubes, conserve de litchis, et même une fleur en pot, une vraie fleur de prairie. Pour l'instant, je glissais comme en rêve dans les rayons en colimaçon, tourmenté par cette faim qui dépassait la simple envie de manger. J'avais faim d'une chose que mon esprit lui-même n'était pas capable d'imaginer.

Roulant délicieusement, j'arrivais au rayon froid. Tous les vieux et toutes les vieilles de Shellawick étaient assis là, au coude à coude, sur le rebord d'une piscine de surgelés. Matt était installé sur les poissons panés tandis que ses trois frères, à l'autre bout de la rangée, se rafraîchissaient les fesses au-dessus des crevettes équatoriennes. «C'est pas conte toi, s'est défendu Matt. Ça a jamais été conte toi… On vient pour la météo! On achète pas grand-chose, tu sais…

— Oh mais t'en fais pas! Regarde! Moi aussi j'fais mes courses ici… C'est tellement moins cher qu'en face!»

Aucun vieux n'a osé rire. L'un d'eux me scrutait en allongeant son vieux cou de tortue. J'étais encore plus maigre que lui. Ma longue barbe rousse effilochée aurait fait cracher à mon père tous les fils de coyes!, les crêles!, les zates! et les tourés! du Pierrier. La vieille tortue a regardé d'un air soupçonneux mon pantalon, fermé par une épingle à nourrice. Puis son regard s'est posé sur la bosse sanglante qui me déformait le front. J'ai voulu jeter un coup d'œil dans la piscine des surgelés; deux vieux se sont levés avec peine pour me laisser passer. Matt se sentait obligé de parler. Ça faisait plus de neuf mois qu'il n'avait pas mis les pieds dans mon supermarché.

«Comment tu t'es fait ça?

— Avec un râteau.

— Un râteau pour ratisser?

— Bah oui.

— Mais pour ratisser quoi?

— J'en sais rien. C'était pas mon râteau.

— Faut un jardin, pour ratisser!

— Ch'uppose.

— Et t'as vu la caisse, dehors?

— La limousine…

— T'as déjà vu un truc pareil?

— C'est climatisé ch'parie…

— Climatisé? Tu t'fous d'moi, Tom! Y a un salon là-d'dans! Un canapé! Une télé! Un frigo et des glaçons!

– Pareil que chez moi.»

La vieille tortue a ri. Il lui manquait énormément de dents. «Malgré tout ç'qui t'arrive... t'as pas perdu ton sens de l'humour... Chui content, Tom. Tu gardes le moral! Garder l'moral, c'est l'principal!»

Je n'ai pas contredit Matt, mais dans la matinée j'étais allé au lac de Paselina avec l'idée de me noyer. J'avais garé la voiture devant les studios Peace Pipe, à côté d'une borne à incendie qui crachait souvent un geyser d'eau quand j'étais petit – je me souviens que je me jetais toujours dedans en hurlant de bonheur; je rentrais à Shellawick avec mes habits et mes cheveux encore mouillés; ma mère était furieuse.

J'ai longé des tournesols qui me regardaient marcher d'un pas élastique vers la mort. Avec leur grand œil brun et leur sourire de pétales, ils avaient l'air d'une foule de cyclopes fous de joie. J'étais contrarié par cette manifestation de gaieté, pile au moment où j'allais me suicider. Je me suis assis sur un ponton, à côté d'un enfant très gras qui tenait sur ses genoux un paquet de popcorn Buffalo Rocks. J'ai attendu qu'un couple au bord de l'eau s'éloigne avec ses éclats de rire horripilants et j'ai grimpé dans un canoë, défait le nœud qui le retenait au ponton – une alliance pour annulaire de géant, d'une beauté à faire pleurer, grêlée de rouille vert et ocre – et laissé le courant me porter loin de la berge. La dérive a été longue. L'eau était immobile et il n'y avait pas le plus petit souffle de vent. Je ne quittais pas le ponton des yeux tellement j'avais peur de voir surgir les propriétaires du canoë et de passer pour un voleur. J'ai fini par sauter à l'eau, tout habillé et chaussé. Comment les gens qui n'ont pas de boulet à se mettre au pied réussissent-ils leur noyade? Pourquoi parle-t-on toujours de ces gens, tombés d'un bateau, buvant la tasse et mourant sans détour ? Pourquoi mon père m'avait-il dit que les gens du Pierrier ne savaient pas flotter et coulaient à pic ? Voilà les questions que je me posais en nageant lentement mais sûrement vers le ponton. L'enfant m'a demandé pourquoi j'avais laissé le canoë de sa mère au milieu du lac. Je lui ai répondu que j'étais très déprimé en ce moment et que parfois, quand on était déprimé, on vendait des fleurs.

«C'est quoi déprimé ?

– C'est du chagrin, mais en moins bien.

– Tu vends quoi comme fleurs ?

– J'vends pas d'fleurs. C'est une expression.

– C'est quoi une expression ?»

Le gamin venait de me déchirer le front en ouvrant ses popcorn. J'ai failli lui dire que c'était moi le p'tit rouquin sur son paquet, mais je suis parti, la tête enfoncée entre les épaules, en escargot, laissant derrière moi une traînée humide sur le ponton. Il fallait se rendre à l'évidence : je n'étais même pas passé près de la mort. Je me suis demandé si le désert de Tahoneck avait déjà enfanté un suicidaire plus velléitaire que moi. Et alors que je me reprochais ce manque de volonté en toute chose, cette incapacité à me battre contre le sort et les gens, j'ai mis le pied sur les dents d'un râteau dont le manche s'est dressé devant moi comme une herse et m'a fracassé le front. À mon réveil, la mère du garçon me soutenait les jambes.

«Ça a l'air d'aller mieux.

– J'vous connais !

– Gardez les jambes en l'air... Moi j'vais au travail...

– Vous travaillez au Toucan Dingue, c'est ça ?

– Nan, j'ai arrêté. Là chu' caissière chez Buffalo.»

C'était Emily, la fille adoptive de Matt. Je lui ai fait remarquer que c'était la deuxième fois que je tombais dans les pommes et que j'ouvrais les yeux pour la voir tenir mes mollets comme deux bûches à jeter dans le feu. La première fois, c'était au cimetière de Shellawick, pour l'enterrement de la Reine; Emily avait huit ans et moi seize. Au prochain évanouissement, il faudrait se jeter dans l'eau de l'amour. Dire à Emily que dès qu'un client prononçait son prénom, j'avais une fourmilière dans le ventre. Je l'ai regardée partir, main dans la main avec son fils.

Matt et les autres vieux finissaient par bleuir sur leur piscine de surgelés. Matt se forçait à sourire. Il se sentait un peu responsable de ma situation, de ma barbe indigne d'un fils de barbier, et de l'épingle à nourrice qui me servait de bouton de pantalon.

«Tu sais pas à qui elle est, la limo?

– À toi, Matt?

– Faudrait m'payer cher pour monter dans une mocheté pareille! Nan, c'est à ç'type... Çui qui chante ç'te chanson...

– Michael Jackson?

– Nan, pas Michael Jackson... J'ai perdu son nom... Touré, j'vends des fleurs!

– J'm'y connais pas en musique...

– Mais si! C'est comme les mouches! On nous la colle dans les oreilles toute la journée! Tu l'as entendue cent fois... T'allumes la radio, tu tombes dessus... Tu la connais par cœur! The Pink Sioux! Voilà! C'est l'nom du groupe!

– Connais pas.»

Matt a entonné le tube et deux petites vieilles l'ont accompagné en chantant par le nez. J'ai reconnu la musique entêtante qui passait sans arrêt à la radio depuis que le grand supermarché était sorti de terre.

«Bah c'est sa limousine, au type qui chante! C'est un enfant du pays!

– De Shellawick?

– Nan, quand même pas d'Shellawick, mais pas loin… Quelqu'un du Pierrier… Paraît qu'les gens l'écoutent en Europe… Y a des émissions sur eux à la télé!»

Plusieurs vieux ont approuvé d'un grognement, et d'autres ont hoché leur tête bleue. Quant aux trois frères de Matt, à l'autre bout du bac de surgelés, ils n'ont eu aucune réaction, pétrifiés dans leurs glaces millénaires de rancune.

Mon caddie s'est arrêté au rayon café qui sentait le tabac caramélisé et la cuisine à l'heure du petit déjeuner. Les paquets venaient de tous les caféiers de la planète. Toutes ces nuances de tempérament pour finir chez nous, en pisse de coyote, gâté de sucre et noyé dans le lait. Ils vendaient même des machines pour faire son café *à l'italienne* – âcre, noir écarlate, dans une tasse de poupée. Même en pensée, le goût amer me fit trembler la langue.

«Pas facile.»

J'ai sursauté. Je n'avais pas vu le type à côté de moi. Comme il était très souriant, je lui ai poliment répondu que non, ça n'était pas facile, sans savoir de quoi je parlais. Il était particulièrement petit et je me suis demandé s'il arrivait à atteindre les produits qui se trouvaient au-dessus de la quatrième étagère. C'était peut-être ça qui n'était *pas facile*. J'étais sur le point de lui proposer d'attraper quelque chose pour lui, mais j'ai eu peur de le vexer. Depuis le temps qu'il était petit, il avait sûrement appris à se débrouiller tout seul.

«Pas facile!»

Il avait prononcé ces mots d'une voix plus exaltée que la première fois. Je n'aimais pas sentir son regard levé vers moi. J'avais l'impression qu'il me reprochait d'être grand et de pouvoir me servir sans difficulté sur la cinquième et la sixième étagère. J'ai fait semblant d'avoir repéré la boîte que je cherchais, quelques mètres plus loin, et je me suis éloigné en vitesse. J'ai poussé un cri quand j'ai vu l'homme à côté de moi, encore plus proche qu'avant.

Il m'a saisi le bras.

«Mais parfois... coup de chance!»

Il m'a tendu une enveloppe avec le logo Buffalo Rocks sur le rabat. Le genre d'enveloppe que tous les habitants du Pierrier ont dans leurs tiroirs et que les bureaux de poste distribuent gratuitement. L'homme avait un visage autoritaire qui me rappelait quelque chose. Il avait dû venir dans mon supermarché et s'asseoir dans mon fauteuil de barbier. Peut-être même que j'avais écrit un haïku quand il était entré.

«J'avais un restaurant d'poulet rôti, à Pelhamont. Bourré d'monde. Grand succès.

— Vous d'vez être un bon cuisinier, ch'présume...

— Pas très bon. Moyen.

— Moyen, c'est déjà pas mal, lui ai-je dit sans enthousiasme, réalisant que j'avais pris l'enveloppe dans ma main et qu'il serait encore plus compliqué maintenant de me débarrasser de ce type.

– Un jour, juste en face de mon restaurant: fast-food. Faillite en trois mois.

– Ah! la concurrence. Terrible, ça, la concurrence…

– À sec. Plus d'argent. J'ai pris la route de l'usine de pop-corn.

– D'accord… J'vois où tu veux en v'nir, mon vieux… mais moi, j'ai aucune envie d'aller bosser chez Buffalo… T'as dû entendre des choses, mais c'est pas vrai, tout va bien pour moi… J'ai encore une poignée d'clients fidèles et j'm'en sors pas mal… pas mal du tout!»

Quand j'ai tendu l'enveloppe pour qu'il la reprenne, il a ignoré mon geste, il a glissé dans sa poche la bouteille de Dry Corny qu'il tenait à la main, et c'est seulement à cet instant que j'ai remarqué l'extraordinaire manteau qu'il portait sur le dos. Une houppelande noire, en laine, avec de longues manches balayant le sol, ourlées de fourrure. Porter ce manteau en plein été dans les rues de Shellawick était un acte de rébellion absolu. C'était nier le Pierrier et sa chaleur de mort. Et puis soudain j'ai repensé à la limousine climatisée, garée devant le supermarché.

«C'est pas vote voiture dehors?

– J'en ai deux. Une rose, une blanche.

– Y vous payent bien chez Buffalo!

– Fini, ça! J'ai tout plaqué pour la musique. Tu t'souviens pas d'moi? Okomi?»

Je l'ai reconnu. Peut-être pas l'homme en entier, mais la forme menaçante de ses pommettes. J'ai revu l'homme tout à fait ivre qui, après une longue marche dans le Pierrier entre Tahoneck et Shellawick, s'était assis bien droit dans le fauteuil de barbier et dans un effluve de Dry Corny m'avait extorqué des paroles de chanson. J'avais écrit *Popcorn Melody* sous la menace de son couteau.

«Tu m'as porté bonheur.»

J'aurais aimé lui retourner le compliment, mais mon pantalon avait des trous aux genoux et tenait avec une épingle à nourrice. Okomi s'est éloigné entre les paquets de café, talonné par ses manches majestueuses. J'ai voulu le rattraper et lui demander s'il cherchait une espèce de poète, une plume bon marché pour écrire les paroles de ses futures chansons, mais mon caddie pesait un cheval mort et ne savait rouler que dans le sens de la pente douce. J'ai pris un paquet de café éthiopien et j'ai laissé en plan mon caddie pour courir après Okomi. L'air était devenu glacial. Les formes du supermarché disparaissaient dans une brume blanche. Je ne voyais plus la houppelande.

«Cher ami, vous avez égaré votre caddie!»

C'était Sam. Il avait tracté ma colline de courses à l'aide d'un crochet fixé derrière sa tête. J'ai pris la fuite et Sam m'a poursuivi, dans un vacarme de mixeur électrique. Il m'interpellait de sa voix ronde et courtoise: «Mon ami, vous avez égaré votre égaré votre égaré votre égaré...!» Sam souffrait d'un bug, sûrement dû au froid. Les clients et les caddies fonçaient vers la zone des caisses. Par politesse, Sam s'est arrêté pour les laisser passer et j'ai pu le semer. Je cherchais autour de moi la houppelande noire. Les vieux et les vieilles avaient tous déserté le coin des surgelés et boitaient vers la sortie, en grommelant, mais sans trouver les mots exacts pour se plaindre du froid. À Shellawick, on avait l'embarras du choix pour nommer et maudire la choule, la fadée, la fouèze, la tagnade, la marousse, autrement dit, la touré de chaleur. Mais le froid n'avait pas de nom. Quand les vieux sont sortis, Sam a dégainé ses bras télescopiques: le gauche aspergeait les vitres de liquide bleu pendant que le droit faisait des arabesques dans tous les sens, laissant les portes coulissantes vides et pures. Ça faisait un mystère de résolu.

Les files d'attente s'étiraient et disparaissaient entre les rayonnages. Seule une file était beaucoup plus courte, séparée des autres par un présentoir de rubans tue-mouches Bziter. «Viens te coller à moi que j'te Bzite», disait la pub. J'ai attendu là, derrière une dizaine de clients qui crachaient de la buée, après avoir vérifié qu'aucun panneau ne me l'interdisait – je me voyais déjà rossé par Sam, qui ne s'arrêterait de me battre que pour désigner du bout de sa matraque le pictogramme d'une chaise roulante. Dans les files voisines, quelques têtes oscillaient discrètement de droite à gauche et m'adressaient des «non» compatissants. «Je ne vous la conseille pas!» a lancé une femme qui a ensuite ouvert la bouche avec un air d'hilarité démoniaque, sa tête a basculé en arrière sous le poids du rire, l'étincelle argentée d'un plombage dentaire a brillé entre ses lèvres rouges et huileuses, puis seuls la fossette de son menton et son cou de phoque ont émergé de la brume blanche. Au bout de vingt minutes, je n'avais pas avancé d'un pas. Je me suis faufilé dans le brouillard, jusqu'à la caisse. Emily Dickinson tenait un pistolet pour lire les codes-barres dans une main et une boîte d'œufs dans l'autre. Près d'elle, son fils plongeait la main jusqu'au poignet dans un paquet de pop-corn Buffalo. Je ne croisais jamais Emily dans les rues de Shellawick. Tout ce que je savais d'elle était le puzzle des histoires étranges racontées par mes clients, du temps où j'en avais encore. Emily a posé le pistolet et a contemplé gravement la boîte d'œufs, la tournant et la retournant avec une précaution extrême. Elle l'a ouverte et a souri en découvrant les œufs. Elle semblait surprise et enchantée de les trouver là. Elle

rien d'autre qu'occuper au bout de Small Fox Road la place rassurante que mon père, mon grand-père et tous les hommes de ma famille avaient occupée avant moi, sauf qu'à la différence des hommes de ma famille, je ne savais même pas me servir d'un rasoir coupe-choux. Et comme mes études à l'université, si coûteuses pour mes parents, ne m'avaient pas appris à trouver une autre place que la mienne, il faudrait tôt ou tard, pour me punir, que je monte dans un paquebot et que mes mains brûlent sous des gants troués, dans l'ombre orange des bassines d'huile. Je me suis dit que si j'avais un minimum de cran et d'amour, la seule chose à faire était de prendre immédiatement la parole pour rappeler qu'Emily débutait à peine dans le métier de caissière et que son rythme tranquille (il valait mieux dire tranquille que lent) était la preuve de son sérieux. Puis j'ai réalisé que j'avais passé beaucoup de temps à réfléchir à la situation et qu'il était trop tard pour défendre Emily. Mais aussitôt, je me suis dit que le temps écoulé ne changeait rien, que je cherchais encore un moyen de me défiler, que dans une guerre j'aurais fait partie de ceux qui, au moment de l'assaut, s'accroupissent et font semblant d'avoir à refaire leurs lacets. Pendant que je me reprochais mon caractère de déserteur, tout était rentré dans l'ordre. La femme-pastèque mordillait l'oreille de son compagnon et Emily avait trouvé le code-barres sur la boîte d'œufs. Quant à moi, j'avais regagné ma place, docile et silencieuse, dans la file. Emily cherchait maintenant un autre code-barres sur une bouteille de Dry Corny qui m'a rappelé Okomi. J'ai mis la main dans ma poche, j'ai sorti l'enveloppe et j'y ai trouvé une photo dédicacée des Pink Sioux. Les quatre membres du groupe avaient des visages de Grandpas, portaient des T-shirts roses et faisaient le V de victoire avec les doigts. Okomi avait écrit THANK YOU TOM! au dos de la photo. Plié en quatre, il y avait un chèque à mon nom. J'avais de quoi acheter le contenu du caddie que j'avais abandonné, deux limousines et probablement tous les cailloux du Pierrier. Je me suis mis à trembler d'un sentiment de liberté, de ravissement. C'était à mon tour de passer à la caisse.

«Vous êtes arrivée à l'heure finalement?

– Nan. Chui trop habituée à la nuit… Chui décalée.

– Vous étiez serveuse de nuit, au Toucan Dingue?

– Complèt'ment serveuse…»

Emily a fait bizarrement traîner le mot serveuse et j'ai senti mes joues brûler.

«Vous avez voulu changer un peu d'métier, quoi…

– J'me suis fait virer. Y a un cocktail tout bleu au Toucan Dingue… Bleu comme ta tête… Ça s'appelle le calumet d'la paix… On l'sert bouillant… avec de la fumée au-d'ssus du verre… Y avait un gars qui m'emmerdait tout l'temps… J'ui ai mis son truc dans l'verre! Ça a fait une réaction chimique, ça s'est mis à cramer! Avec des flammes et des cloques rouges! Touré, il a crié! Un cri hyper long… comme si y s'déchirait, le gars!

– Son truc… Vous voulez dire son…»

J'ai montré d'un doigt indécis ma braguette. Emily a fixé mon épingle à nourrice, ce qui m'a fait rougir encore plus fort. Derrière nous, j'entendais les clients se plaindre. Mais Emily n'entendait rien.

«Souvent y m'appelait… J'arrivais pour prendre sa commande et j'voyais qu'il avait sorti son truc… J'ui disais range ton allumette ou un jour elle va prendre feu!

– C'est pour ça qu'y t'ont virée?»

— Bah oui. Paraît qu'son truc est foutu… Y marche plus…

— Plus du tout?

— Pour pisser, ch'crois qu'y marche encore…

— Zate…

— En plus, ch'avais pas, mais l'gars, c'est l'frangin du maire.

— Zate!

— Ouais. J'ai pas cramé l'bon truc. »

Emily regardait si fixement mon visage que j'avais l'impression qu'elle comptait mes taches de rousseur. J'ai vite posé le bout de mon doigt sur le paquet de pop-corn de son fils.

«C'est pas facile à croire, mais c'est moi, ce p'tit rouquin!»

Emily a pris l'paquet et a plongé ses yeux dans mes yeux d'enfant: «Vous avez une gueule, vous.»

Les amies de ma mère disaient la même chose quand j'étais petit. Elles prononçaient «gueule» comme un coup de pied, et leurs dents blanchies chez le dentiste de Cornado jetaient des éclairs. Elles portaient toutes ce tablier d'intérieur à fleurs et à grande poche ventrale – l'uniforme des femmes de Shellawick quand elles n'étaient pas à l'usine. Le tablier existait en vert et en bleu et servait à faire la cuisine, le ménage, à jouer avec les enfants, à étendre le linge dans le bout de jardin désertique et à regarder la télévision. Pendant sept ans, dans mon Bonheur, j'en ai vendu un par semaine, à 19,99 dollars pièce. Puis l'ogre d'en face est sorti des entrailles du Pierrier et il a vendu le même tablier, avec sept coloris au choix, à 9,99 dollars pièce. Je n'ai plus jamais vendu un seul tablier.

Les amies de ma mère essayaient de la convaincre: «Mais si! Vas-y voir à Paselina si y cherchent pas après des p'tits! Suffit qu'y

lui voillent sa bouille et y te l'mettent dans une pub ! Il a vraiment
une gueule, ton Tom ! » Alors comme ça, j'avais une gueule. J'ai
longtemps cru que ça voulait dire que j'étais beau comme un
acteur – parce que les acteurs ont des gueules tandis que les gens
normaux ont une simple tête posée sur le cou. Ma mère était en
grande partie responsable de ce malentendu qui a duré jusqu'à ma
première année de lycée. Elle se plaignait de mon dégoût pour les
jeux violents. J'étais le seul enfant de Shellawick à n'avoir jamais
coupé la tête d'un lézard avec un rasoir ou brûlé à la loupe les
ailes d'une mouche.

« Pourquoi tu l'fais pas ?

– Pass'que j'ai pas envie. J'ai pas envie d'leur faire mal.

– À qui ça ? Aux mouches ?

– Hmm.

– Tom, t'as pas l'air de piger.

– Quoi ?

– Si t'es pas capable de r'garder une mouche souffrir, tu vas
dérouiller dans la vie. »

D'une mère aussi franche, je m'attendais à entendre la vérité tout
entière. Elle avait toujours appelé mes défauts par leurs noms.
Elle me disait que j'étais plus timide et renfermé qu'un escargot, étourdi comme un boxeur qui voit trente-six chandelles,
et salement attiré par les jeux de *bonnes femmes* – je jouais à la
marchande avec les poils, triés par couleurs, que je récupérais
autour du fauteuil de barbier. Mais parmi toutes mes tares, ma
mère avait oublié de nommer la plus grande : je n'étais pas beau.
Quand je lui posais ouvertement la question, elle répondait : « Si y
t'ont mis sur leurs paquets d'pop-corn, c'est pas pour des cailloux,

hein ? » C'est Tamar qui m'a appris la vérité. La fille aux longs cils dont j'écrivais le prénom sur mon bras gauche. Des centaines de Tamar, de mon épaule jusqu'aux veines du poignet où mon désir bleu coulait en transparence. Après avoir hésité, failli me lancer, reculé, j'ai proposé à Tamar de passer un samedi après-midi avec moi. Le programme que j'avais imaginé était le seul programme qui existait à Shellawick : acheter les beignets de maïs de la Reine, les manger sur la terrasse du bowling, marcher sous le soleil blanc, et si tout se passait bien, grimper sur le bec du Toucan Noir et oser quelque chose. Quand j'ai fait ma proposition à Tamar, ses doigts se sont entrelacés. Elle m'a dit qu'il ne fallait pas que je sois déçu mais qu'elle – sa pensée se coinçait dans le maillage étriqué de ses doigts dont les jointures devenaient blanches – préférait ne pas passer son samedi avec moi. Elle a posé la main sur mon bras : « Et c'est pas parce que t'es roux. » *Roux* formait une verrue sur la voix tendre de Tamar. Je n'avais jamais vraiment réalisé que j'étais roux, puisque par-dessus tout, j'étais le Popcorn Kid. Un statut très envié qui me préservait des injures ordinaires, des « sale rouquin » et autres Poil de Carotte. Grâce à Tamar, j'ai compris en l'espace d'une seconde que *roux* était un drame et une infirmité. Elle a dénoué ses mains et a essayé de retirer un long cheveu brun qui s'était collé à sa bouche. Comme elle n'y arrivait pas, elle a poussé le cheveu avec sa langue. Cette vision m'a jeté dans un état d'amour terrible, qui a duré deux ans, jusqu'au jour où je me suis évanoui à l'enterrement de la Reine, et réveillé les pieds entre les mains d'Emily.

J'étais donc roux. Indésirable comme un roux. De retour à la maison, j'ai couru dans la salle de bains. Ma mère détestait qu'on se regarde dans le miroir. «Si tu cherches ton nez, il est au milieu!»

Dans mes iris noirs, mes pupilles ne se voyaient pas, exactement comme Shellawick, avalée par le Pierrier. J'ai observé avec dégoût mes cheveux et surtout le millier de clous plantés sur mon visage, ce ciel d'étoiles grouillant, avec, près de la bouche, des constellations tellement serrées que les points se touchaient et formaient des queues de comète filant dans ma nuit malheureuse.

Emily cherchait le code-barres sur ma boîte de café éthiopien. Un robot m'a effleuré les genoux et a glissé en silence derrière la caisse. Un long ticket est sorti de son front. Emily l'a arraché et l'a lu en ouvrant tellement la bouche que j'ai vu sa luette, chauve-souris pendue par les pattes dans la grotte du palais.

«Y te veut quoi, l'robot? Y t'invite à dîner?»

Emily m'a tendu le ticket.

Chère Emily,

Comme tu le sais, nous avons cherché avec toi des solutions pour que tu progresses dans ta fonction d'hôtesse de poste de paiement et nous regrettons beaucoup que tu n'aies pas tenu compte de nos conseils et des sept avertissements précédents. Nous devons nous rendre à l'évidence: ce métier ne correspond pas à ta personnalité et à tes talents. Nous avons pris la décision de mettre fin à ton contrat.

Toute l'équipe de Buffalo Rocks te souhaite bonne chance pour la suite.

Sous le texte, le bison disait au revoir avec la patte. L'ourlet rose d'où s'élançaient les cils d'Emily s'est couvert de larmes.

«Si tu veux un travail, j'ai un supermarché, moi...

— Tu m'embauches?

— Évidemment!

— Mais ç'que t'appelles supermarché, c'est le...

— C'est l'Bonheur, juste en face!

— Mais t'aurais d'l'argent pour me payer?

— Moi? Chu' riche comme les rocs fêleurs.»

Emily a encore regardé l'épingle à nourrice qui empêchait mon pantalon de tomber à mes pieds.

L E CHÈQUE D'OKOMI n'était pas en bois. Mais la Central Bank of Cornado a attendu deux semaines pour faire couler la rivière de dollars sur mon compte. Deux semaines pendant lesquelles j'ai pris tous mes repas chez ma mère. Chaque jour, elle m'accueillait dans son tablier à fleurs, en frottant la cicatrice satinée sur son front, toujours avec la même phrase : « T'as l'air d'un pauvre. »

« Tu dis ça à cause de la barbe.

– Nan, c'est pas la barbe ! C'est tout l'reste… Les gens disent des choses…

– Qu'est-ce qu'y disent encore ?

– Que t'as fait faillite. C'est vrai, Tom ?

– J'ai eu une période de creux mais ça r'part.

– Ça r'part où ? Le maire est venu m'voir.

– Dans la maison ?

– J'ui ai servi des chips de maïs avec une sauce au piment.

– C'est l'pire des hommes, m'man.

– Peut-être, mais il a essayé d't'aider, t'as r'fusé, et c'est trop tard maintenant…

– M'man! Il a jamais voulu m'aider! Tu vois pas qu'tout le monde part de Shellawick! Pourquoi, à ton avis?

– Les gens en ont marre du soleil et des mouches. J'les comprends.

– Nan... Buffalo donne du fric à Woolsen pour que Woolsen vide sa propre ville! Woolsen fait du porte-à-porte... Il explique aux gens qu'les trajets en paquebot c'est fini, la poussière c'est fini... Il leur promet une maison au milieu du maïs à Cornado! On les installe à côté d'l'usine! Y sont plus jamais en r'tard au boulot!

– Tu dérailles complètement, Tom...

– Tu sais pourquoi ils l'ont mis à Shellawick, le supermarché?

– C'était pas pour t'embêter, en tout cas... T'es pas l'centre du Pierrier, Tom! Arrête de faire ton toucaneux!

– Un jour, y vont l'démonter, le supermarché... Et y vont l'remonter à Pessahee ou dans un aute bled qu'y voudront vider... Et comme y aura plus un seul commerce à Shellawick, plus une épicerie, plus un coiffeur, rien... ceux qui voudront rester ici, y boufferont les cailloux.

– Moi j'mangerai des boulettes de bœuf et du maïs à la tomate. Ton pantalon est tout troué aux genoux.»

J'ai regardé mes genoux, puis le salon autour de nous, sombre et encombré d'objets, de tortues décoratives, d'oiseaux, de hérissons, de renards, de grenouilles, qui nous observaient à travers un voile de poussière. J'ai entendu la voix de mon père: «Si tu veux t'acheter un porc-épic en diamants, et bah zate! tu t'achèteras un porc-épic en diamants!» Je me suis demandé comment nous pouvions tenir à vingt dans cette pièce, serrés sur le canapé, serrés sur le fauteuil à franges et le tapis, quand les voisins venaient m'admirer faire le pitre à la télévision.

Ma mère vivait à l'angle de Small Fox Road et de Rattle Snake Road, dans la maison où elle s'était installée avec mon père trente-cinq ans plus tôt. Pour ne pas faire d'histoires, mon père ne s'était pas marié à l'église de Shellawick. Il avait fait venir un pasteur de Cornado et la célébration avait eu lieu dans le jardin poussiéreux derrière la maison, à côté du manège à linge que ma mère avait décoré de rubans et de fleurs blanches en papier. Quand mon père me racontait cette journée, il haussait encore plus haut que d'habitude les épaules, mais il ne se mettait pas en colère. «On n'était pas bien nombreux... Y avait ta mère, y avait moi, le révérend Womack et trois copines de ta mère... Mais l'ambiance était bonne... On a dansé autour du sèche-linge ! Y avait du Corny et des beignets... Faut comprendre les gens, Tom... On a trouvé ça bizarre que j'me mette avec une fille qu'avait du sang !» Le panneau avec le nom de la rue se trouvait juste devant la maison de mes parents. Souvent, le F de Fox était remplacé par un P, et la rue devenait Small Pox Road – la rue de la petite vérole. Matt Southridge avait raconté à toute notre classe comment la petite vérole, maladie infectieuse introduite par les colons européens, avait décimé des tribus entières dans les Grandes Plaines. Depuis mon enfance, il y a toujours eu quelqu'un, chaque semaine, pour remplacer le F de Fox par le P de Pox, et toujours quelqu'un d'autre pour nettoyer le panneau et lui rendre son F. Chaque semaine une bagarre éclatait à cause de ces deux lettres d'alphabet. Très tôt, il fallait choisir son camp. Dès l'école primaire, les enfants savaient de quel côté penchait leur famille. L'écrasante majorité des habitants de Shellawick se rangeait sous la bannière du F et trouvait inutile de déterrer les vieilles histoires du passé. Tout avait commencé bien avant ma naissance, quand Matt Southrige avait expliqué à ses élèves comment l'armée britannique, au xviiie siècle, avait volontairement distribué aux Delawares des couvertures infectées par la petite vérole. Un groupe de parents d'élèves avaient réclamé son renvoi. On le soupçonnait d'avoir inventé cet épisode infâme de toutes pièces et d'enseigner l'histoire des États-Unis sous un jour défavorable aux Blancs. On le soupçonnait même *d'avoir du sang*. Le directeur de l'école avait organisé une réunion publique et prié Matt de rassurer les parents, de mettre un peu d'eau dans son vin, de dire toute l'admiration qu'il avait pour les colons qui avaient apporté, parfois au prix de leur vie, la civilisation et la religion chrétienne au cœur des esprits les plus rustres et les plus éloignés de Dieu. Au lieu de quoi, devant un parterre de parents hébétés, Matt avait lu une lettre du colonel Henri Bouquet adressée, au moment du siège de Fort Détroit en 1763, au commandant en chef de l'armée britannique en Amérique du Nord, Jeffery Amherst : «Vous feriez bien d'essayer de contaminer les Indiens au moyen de couvertures, ou par toute autre méthode qui permettrait d'exterminer cette race exécrable.» La chemise du directeur avait viré du rose au rouge. La sueur coulait même de ses doigts. Matt l'avait regardé en souriant et s'était penché à nouveau vers le micro : «Et pour ne pas oublier de quelle façon nos ancêtres ont bâti notre grande nation, je propose qu'on donne à Small Fox Road un nouveau nom. J'ai pensé à Small Pox Road : il ne nous en coûtera qu'une lettre et un zeste de justice.»

Ma mère avait encore les yeux rivés sur mes genoux. On voyait mes poils blonds et roux par les déchirures du pantalon.

«J'ai gagné assez d'argent pour t'acheter ta cabane.

– De quoi tu parles?

– Ta cabane de pêcheur, m'man! À Paselina.

– Alors là, compte pas sur moi! Lou-Ann dit qu'c'est humide comme une langue et que tout ç'qu'on y gagne, c'est des moustiques à la place des zates.

– Mais c'est ton rêve, m'man, cette cabane!

– C'était l'rêve de ton père, tu veux dire! Qu'est-ce que j'irais faire au bord d'un lac, tu peux m'expliquer?

– Mais j'ai l'argent, m'man.

– Garde-le, ton argent. Et achète-toi un pantalon.»

EMILY A LEVÉ LES YEUX AU PLAFOND et a dit qu'elle aimait mes ventilateurs en acajou, qu'ils ressemblaient à des avirons qui tournent en rond. Aussitôt elle s'est mise au travail. Elle parcourait chaque produit du bout des doigts, le massait, le frottait. Peut-être qu'elle se disait que les objets de nos vies ne servent à rien et flottent autour de nous comme des bouées, incapables de sauver qui que ce soit. Ou peut-être qu'elle pensait à tout autre chose, mais ses grands yeux lents pensaient, c'était sûr. Elle notait le nom de chaque produit sur une feuille et dessinait une espèce de petit os au bout de la ligne quand le produit était périmé. Avec ses méthodes alanguies, sa douceur en tout, Emily a fini par dresser l'inventaire de mon stock et a chassé la poussière du Bonheur. Les mouches ne volaient plus librement, elles grésillaient, collées aux longs rouleaux qui tombaient du plafond. «Pourquoi t'aimes regarder les mouches mourir?» Au lieu de me répondre, Emily a couru vers la porte moustiquaire. Comme engluée au grillage, elle essayait de décoller ses bras de la poix, ouvrait des yeux effarés, balançait la tête en arrière, poussait des grognements et des vrombissements de mouche géante. Tous les jours, vers l'heure du déjeuner, je confiais à Emily Le Bonheur et électriques côtoyaient les aubergines. Parfois elle rangeait par couleurs, parfois par formes, parfois par prix, par poids, par dates de péremption, ou tout à fait par hasard. Je ne demandais qu'une chose : que les produits frais finissent au rayon frais. Mais quand je voyais dans les armoires réfrigérées des ampoules et des tabliers à fleurs, je bénissais le ciel d'avoir embauché Emily Dickinson. Malgré la confusion que créait la poésie de ses rangements, mon Bonheur attirait de plus en plus de clients. Ceux qui m'avaient trahi sont réapparus sans demander pardon. D'autres que je n'avais jamais vus ont débarqué de Tahoneck, New Paselina, Dundrove, Princebourgh et Pessahee. La nouvelle avait roulé dans tout le Pierrier : chez Tom, c'est trois fois moins cher que chez Buffalo. Le samedi, Emily et moi inventions toujours une promotion pour faire sourire les gens : « 1 pâté de porc acheté = 19 pâtés de porc offerts », « Papier toilette et Dry Corny gratuits, dans la limite des stocks disponibles », « Payez tout en mille fois sans frais et arrêtez de rembourser quand vous en aurez assez », « Traitez le caissier de cornichon et partez sans payer ». Par respect pour ceux qui gâtaient leur santé dans l'usine Buffalo Rocks de Cornado, nous vendions les paquets de pop-corn au prix d'une voiture neuve. En plus du flot des clients qui venaient faire de bonnes affaires, vingt paires de fesses se relayaient chaque jour sur mon fauteuil de barbier et se confiaient comme aux plus beaux jours du Bonheur. Quand Emily n'était pas là, j'interrogeais mes clients à son sujet. Son histoire était presque impossible à reconstituer. Pour comprendre ce qui était arrivé et ce qui n'était jamais arrivé, j'ai dû faire le tri entre des dizaines de récits qui se faisaient la guerre. Quand ils coïncidaient, ils avaient la forme rigide des légendes, avec leurs détails étrangement précis et leurs expressions récitées comme des formules magiques. Ce qui est certain, c'est qu'une fête foraine s'installait chaque année, au sud de Shellawick, quand j'étais enfant. Tout au long de l'année, la poussière peaufinait son gris, le Pierrier comptait ses cailloux, la chaleur donnait chaud, les chiens errants erraient, les tornades tournaient, les coyotes et les mouches servaient de jurons, et on s'ennuyait sans jamais prononcer le mot; l'ennui était le souffle du temps dans nos cous. Mais au mois d'août, quelque chose se modifiait, la ville vibrait comme à l'approche d'un train, les enfants organisaient des chasses aux scorpions et des tournois de lutte dans le Pierrier, à la sortie du Toucan Dingue des hommes bancals suaient le Corny et s'insultaient et sautillaient comme des boxeurs, sortant les poings, les couteaux, la police raccompagnait en voiture ceux qui saignaient le plus. Même nos vieillards attendaient impatiemment l'ouverture de la fête foraine, le troisième samedi de septembre, sur le terrain des caravanes. Ils n'y mettraient pas les pieds mais l'atmosphère de Shellawick serait métamorphosée, le vent leur porterait ce qui compte le plus : les cris de peur réjouie, les coups de carabine, le parfum des saucisses et des beignets. Chaque année, les propriétaires des caravanes recevaient 40 dollars pour pousser leurs habitations de misère un peu plus loin, sur la route de Tahoneck, le temps de la fête.

C'était un jour de septembre (ou bien d'octobre, selon certains de mes clients). Emily était restée dans son parc à barreaux, avec un biberon de lait et un anneau à mordre pour soulager ses gencives crevées par de nouvelles dents. Tout le monde faisait ça : laisser un bébé à la maison, sage ou hurlant, pour aller au bowling, au supermarché ou même au cinéma à Cornado, à 30 miles au nord de Shellawick. Même le juge qui s'était occupé de l'affaire avait évoqué d'une voix neutre cette petite fille de onze mois, prénommée Emily, restée au chaud dans son parc, avec une couche propre et un bon biberon de lait enrichi en farine de maïs, à l'heure où sa mère, Nancy Dickinson, se rendait à la fête foraine. Dans le virage en U du train de l'effroi, le dernier wagon avait quitté les rails et Nancy, seule à bord de son chariot, s'était trouvée catapultée dans les airs, portée par le souffle coupé de la foule qui avait vu le chariot s'écraser dans le château gonflable. Nancy s'en était sortie avec un bras cassé et une entorse cervicale. Jeff Woolsen avait alors vingt-neuf ans et travaillait auprès du maire de Shellawick. À l'hôpital de Princebourgh, il avait penché son front démesuré au-dessus du lit de Nancy, avait posé une main lourde sur la chemise de nuit en papier vert d'eau, et avait promis de régler toutes les dépenses médicales. «Et puis aussi, mais faut qu'ça reste entre nous... j'vais vous verser un p'tit quêque chose, pour vous r'monter le moral... Pour oublier l'énorme frousse que vous avez eue... On est d'accord?

– J'dis pas non...

– Mais quand j'dis oublier, c'est vraiment oublier... Toute façon, vous feriez jamais un truc moche, vous? Vous iriez pas au tribunal pour vous plaindre de ceci cela...

– Pourquoi j'irais au tribunal?

– Aucune idée! C'était une touré d'malchance, c'est tout! Un sale caillou qui s'est collé sur les rails! Et j'ai jamais vu personne attaquer la malchance en justice, moi!»

Je n'étais pas dans cette chambre d'hôpital, mais je connais Jeff Woolsen et je devine la masse magnétique de son front et son art souriant de la menace. Je sais même la façon leste qu'il a eue de foraine était effectivement le seul plaisir des gens de la région. Elle commençait sa boucle en mars à New Paselina, faisait le tour des patelins du sud du Pierrier – Tahoneck, Pessahee et Shellawick – avant de filer vers le nord, à Cornado et Winnilog. On l'attendait toute l'année. Elle était plus importante que Thanksgiving, Noël et la fête de l'Indépendance. Quand elle a été chassée du Pierrier, Nancy Dickinson a reçu des lettres anonymes. On lui écrivait que Steve Woolsen s'était tranché les cordes vocales en essayant de se tuer; que plus personne n'entendrait le son de sa voix, pas même ses deux petits garçons. Pour supporter son sentiment de culpabilité, Nancy avalait des pilules colorées qui lui donnaient l'agréable impression de ne plus tout à fait être là. D'autres lettres lui demandaient si elle comptait verser une partie de la somme exorbitante qu'elle avait touchée de la part de la mairie pour venir en aide à Cathlyn Woolsen qui devait maintenant élever seule ses deux garçons. En réalité, Nancy avait reçu 1 500 dollars pour tout dédommagement. Elle a envoyé un chèque de 1 000 dollars à Cathlyn Woolsen et, pendant quelques heures, elle s'est sentie apaisée. Mais le téléphone s'est mis à sonner plusieurs fois par jour. La voix disait « 1 000 dollars ? » avant de se répandre en rires. Nancy a débranché son téléphone. Quand elle est retournée à l'usine, personne ne lui a parlé de l'accident. On ne la regardait pas bizarrement, on ne chuchotait pas dans son dos. Personne ne semblait remarquer sa présence. Nancy se demandait si elle était vraiment là, dans l'usine de pop-corn, ou bien encore chez elle, avec ses douleurs lancinantes dans la nuque, ses pilules colorées, sa tasse de pisse de coyote et son cher silence. Elle déjeunait avec le même groupe de trieuses qu'avant l'accident, dans la cour de l'usine, toutes les neuf assises en rond, mais personne ne la regardait. Ma mère et son amie Lou-Ann McCaskill faisaient partie de cette bande. Les conversations traçaient des lignes dans l'air, reliant toutes les bouches sauf celle de Nancy. Un jour, ma mère a parlé de Chris et de Josh, les enfants de Steve Woolsen. Ils pleuraient chaque nuit en réclamant leur père. Ils croyaient qu'il était parti installer une fête foraine dans le Colorado. C'est ce que leur mère leur avait dit. Une voisine avait retrouvé Chris et Josh, main dans la main, en pyjama au bout de Rattle Snake Road, essayant d'arrêter les voitures avec leurs pouces levés et les lettres tordues de leur pancarte en carton : « COLLE AU RADEAU ».

« C'est trop mignon ! a dit Lou-Ann.

– C'est horrible », l'a reprise ma mère en grattant la cicatrice sur son front.

Les mains de Nancy se sont mises à trembler si fort qu'elle a dû poser son sandwich par terre. Elle s'est levée et s'est éloignée sans que ses collègues s'en aperçoivent. Un sentiment de honte l'a envahie. Le lendemain, au moment de monter dans le paquebot, elle est restée plantée devant les marches du bus. Les employés la contournaient, mais personne ne lui a demandé de se pousser. Quand elle a essayé d'appeler au secours, d'expliquer que ses jambes ne lui obéissaient plus, aucun son n'est sorti de sa bouche ; elle a pensé à Steve Woolsen et ses cordes vocales tranchées. Elle a regardé les employés monter à bord des cinq paquebots et s'éloigner dans les volutes de poussière, puis s'effacer au large. Nancy n'est jamais retournée travailler à l'usine. Au Toucan Dingue, on lui a dit qu'elle n'avait pas le genre.

« Faut ête quel genre pour servir du Corny à des types qui rentrent crevés du boulot ?

– Faut ête du genre qu'aime s'amuser.

« – Tout l'monde aime s'amuser!

– Nan mais faut vraiment aimer s'amuser, m'dame…

– J'vous dis qu'j'adore m'amuser!

– Chérie… Au Toucan, faut amuser les autres…

– Faut faire quoi? Faut danser? Chai faire ça, danser…

– Nan, c'est pas la peine de danser… Coye, faut juste… tu comprends pas?

– C'est une sorte de…

– Voilà… une sorte!

– Chai faire ça aussi.

– Chérie… pour tout t'dire, on préfère les filles qu'ont du sang… La plupart de nos filles en ont.

– J'en ai. Par mon arrière-grand-mère.

– Sans blague? T'as pas l'air… Enfin au moins t'as les ch'veux longs. »

Le lendemain, Nancy a mis une jupe en cuir, un gilet à franges et elle s'est fait deux nattes, comme le type lui avait demandé. Vu que tout le monde connaissait la voiture de tout le monde à Shellawick, Nancy s'est rendue à pied au Toucan Dingue, à l'est de la ville, au bord de la route qui va ensuite droit vers Cornado. L'enseigne rouge en forme de Toucan posait ses doigts de lumière sale sur les voitures du parking, désignant les coupables. Le bar était presque vide. Deux serveuses étaient assises à une table et se penchaient pour se parler à l'oreille. Nancy avait souvent vu ces filles manger des beignets de maïs sur la terrasse de la Reine. C'était la première fois qu'elle les voyait avec des nattes, des plumes pendues aux oreilles et des chemises décorées d'aigles et de chevaux flottant sur leurs jambes nues que terminaient des chaussures à paillettes et à talons démesurés. Quand les ouvriers de Buffalo sont descendus des paquebots et se sont déversés dans le bar, Nancy a immédiatement reconnu Bob Thornberry, celui qui supervisait l'équipe des trieuses dans l'usine de pop-corn de Cornado. Elle a couru aux toilettes, s'est glissée par la fenêtre carrée et s'est trouvée coincée les pieds au-dessus de la cuvette, la tête dans le désert, face aux paquebots garés, face à ses anciennes collègues stupéfaites et au soleil violet qui embrassait la lèvre de l'horizon. Nancy s'est contorsionnée pour rebrousser chemin mais son ventre, sous l'effet de la peur, avait gonflé et elle ne pouvait ni avancer ni reculer. Ses nattes brunes pendaient dans le vide. Ses larmes tombaient à pic sur les cailloux noirs. Le Pierrier venait de changer d'humeur, entre chien et loup, dans une lueur grise épuisée, quand Nancy a senti des mains lui attraper les chevilles et les cuisses, tirer d'un coup sec et l'arracher de son trou. C'étaient les deux serveuses déguisées en parodies d'Indiennes.

« Fallait appeler au s'cours ! T'as pas eu mal ? C'est des filles de Buffalo qui t'ont vue par les f'nêtres des paquebots... Elles sont v'nues nous dire qu'y avait un souci... »

Nancy a refusé de sortir des toilettes. Elle a passé la soirée assise sur la cuvette, à pleurer et à croire qu'on se moquait d'elle à chaque fois qu'un rire éclatait de l'autre côté de la cloison qui était couverte de dessins de levrettes, de seins, de bites aux glands souriants, de prénoms féminins et de poèmes signés d'un certain J.

Je lime dans ton cul
Mon ennui, Ehawee!
J.

Dans ton buisson, j'ai perdu mon temps,
Mes couilles et mes illusions…
J.

Quand mon Totem jute
Au fond de ta gueule
Je suis en amour, Ehawee!
J.

Quand tout est redevenu calme, Nancy a poussé le loquet collant et a traversé le bar, tête baissée. Le gérant passait le balai en sifflant «Buffalo Gals» sous les néons rallumés. Les serveuses comptaient leurs pourboires. Nancy a lancé un «désolée» sans lever les yeux, a pressé le pas, et d'un coup de pied a ouvert la porte qui a buté contre quelque chose de moelleux – Bob Thornberry, le chef des trieuses. Il fumait une cigarette sous la lumière vacillante du Toucan. La cendre tombait sur le bout métallique de ses bottes.

«Nancy Dickinson! Qu'est-ce tu fous là?

– Rien… J'viens d'arriver… J'repars…

– T'étais à l'intérieur? Une femme au Toucan, ça s'rate pas! Enfin une femme respectable, j'veux dire!

– J'étais pas là… J'étais au fond…

– C'était toi! La fameuse fille des toilettes!

– Nan! Ça c'était une aute fille…

– Vous étiez combien dans les chiottes?

– Juste cette fille et moi…

– Vous faisiez quoi?

– Rien! On…

– Ch'te taquine! Et alors l'usine? Tu démissionnes? C'est pas des conneries?

– J'ai besoin d'changer d'horizon.

– T'es marrante... Changer d'horizon... Nancy Dickinson... Ch'te ramène d'un coup d'volant?»

La voiture avait fait cent mètres quand le bras de Bob Thornberry, flexible comme un cou de flamant rose, a rampé sous la jupe de Nancy, faufilé les doigts sous un élastique et enfoncé la longueur d'un ongle dans la matière tendre et humide. Nancy a voulu hurler et rien n'est sorti. Bob a garé la voiture au bord de la route.

❧

Nancy est rentrée à pied. Shellawick ressemblait à un œuf brillant posé sur un nid noir, sans amour.

Les jours suivants, Nancy s'est enfermée chez elle. Elle faisait la liste des courses – des couches pour Emily, du lait en poudre, du maïs, des petits pots de légumes broyés – mais elle restait dans sa cuisine. Une semaine après la soirée au Toucan Dingue, Nancy s'est rendue à la police pour dénoncer Bill Thornberry. Quand l'agent a compris que Nancy avait rencontré son violeur au Toucan Dingue où elle venait d'être embauchée comme serveuse, il a arrêté de taper à la machine et il a regardé Nancy en souriant.

«Attendez, madame... Votre truc, là, c'est une blague! C'est comme un charpentier qui va s'plaindre au chef de chantier parce qu'y s'est pris une écharde dans la main... C'est un peu les risques du métier, nan? Et vous étiez habillée comment, qu'on rigole?»

Nancy s'est inventé un métier, loin des gens. Elle enfilait des gants de jardinage, capturait des scorpions dans le Pierrier, les asphyxiait et les déposait dans un demi-œuf de verre qu'elle remplissait de liquide transparent. Le week-end, elle confiait Emily à son voisin, Matt Southridge, et partait vendre ses scorpions, 5 dollars pièce, devant le bowling de la Reine. Pendant ce temps, Emily Dickinson jouait avec la collection de pierres de Matt, et Matt regardait Emily avec émerveillement. Un jour, Nancy n'est pas rentrée de sa chasse aux scorpions. On l'a cherchée partout dans Shellawick. On l'a trouvée au pied du Toucan Noir, le cœur fendu. Je revois encore Matt se redresser sur le fauteuil de barbier et me dire qu'un enfant qui vit seul avec sa mère a tout ce qu'il lui faut, c'est à peine s'il lui manque un parent. Il lui suffit d'avoir une jolie photo de son père et le tour est joué. Mais un enfant qui est élevé seul par son père – Matt criait au milieu d'un vol désordonné de mouches –, ce gamin-là est un vrai orphelin, il lui manque presque tout.

« C'est Emily qui m'a adopté… Moi j'l'ai laissée grandir tranquillement… J'l'ai élevée au p'tit bonheur la chance… J'étais plus très jeune, faut dire… J'avais soixante-quinze piges et j'dev'nais un peu fou… On collectionnait tous les deux les cailloux… Moi les cailloux rares et Emily les cailloux normaux… Chacun à notre façon, on vendait des fleurs… »

Parfois, je voulais interrompre mes clients au milieu de leurs confidences pour leur demander d'éclairer un coin de phrase. J'aurais aimé savoir pourquoi Matt avait adopté Emily, pourquoi il n'avait pas hésité, pourquoi il l'aimait comme sa fille. Mais j'ai toujours ravalé mes questions. Toute la vérité était déjà là, sous mes yeux. «Ça ne sert à rien de demander l'heure à une horloge», me disait M. Takemo.

Un jour, Emily a expliqué à Matt qu'elle voulait *prendre sa retraite*. Elle avait neuf ans.

«C'est à cause des autres enfants?
— Y disent que chui bizarre.
— Et eux, y sont comment?
— Méchants.
— Mais t'apprends plein d'choses à l'école!
— Nan, j'apprends rien. J'apprends juste que chui bizarre.»

Matt s'est demandé s'il devait dire à Emily que la vie était un combat et qu'il fallait apprendre à s'endurcir, à tenir tête aux gens mauvais, à jouer de la machette pour trouver sa place dans la société. Et puis finalement, il lui a dit qu'on pouvait échapper aux hommes, à leurs filets, à leur bêtise, qu'il suffisait de se tenir à l'écart, de vivre comme un animal solitaire, de laisser traîner partout sa gentillesse, au cas où, comme une ligne de pêche, et pour ce qui était du bonheur et de la beauté, s'en remettre entièrement au Pierrier. Emily n'a jamais remis les pieds à l'école. Matt lui faisait la classe et lui lisait les vers de l'autre Emily Dickinson, la grande poète qui elle aussi aimait se tenir à l'écart:

Ils n'ont pas besoin de moi, mais qui sait —
Je laisserai mon Cœur en vue —
Mon petit sourire pourrait bien être
Précisément ce qu'il leur faut —

M ES CLIENTS AVAIENT CHACUN leur façon d'habiter le
fauteuil de barbier et de mélanger leur odeur à celle de
l'huile de pied de bœuf. Ils étaient recroquevillés, tourmentés,
ou étalés, coulants, genoux intimidés, serrés, ou jambes écartées,
conquérantes. Mais quand ils me parlaient d'Emily, ils avaient
tous le réflexe de se figer et d'imiter son regard fixe et perçant.
Emily s'entraînait à rester immobile, en sculpture inerte, debout
sur le Pierrier, encaissant la chaleur et le vent chargé de miettes
noires qui venaient se coller à ses yeux. Grâce à cet entraînement,
elle savait avancer sans faire vibrer l'air et capturer les scorpions
d'une main jetée, subreptice, sous une cloche grillagée que
Matt avait construite exprès. Elle les enfermait, les nourrissait,
les observait, et ne les relâchait que le jour où elle était capable
de les reconnaître individuellement, par leurs nuances de jaune,
leur manière de se déplacer, de se tenir en alerte, la queue haute,
l'aiguillon prêt à piquer. Ceux qui étaient raisonnables et débon-
naires, elle les laissait monter sur le dos de sa main et remonter la
peau fine des bras. Les gestes d'Emily, même quand elle était très
jeune, étaient lents et prudents, elle semblait toujours manipuler
des matières explosives. En elle, rien ne trépignait, rien n'était

pressé. Elle collectionnait les pierres du Pierrier, ce qui, d'après mes clients, était une passion insensée. Pour un collectionneur, toute la difficulté est de réunir des objets rares et dispersés. Mais le Pierrier offrait au premier imbécile capable de se baisser un milliard de cailloux. Collectionner les pierres du Pierrier était forcément le passe-temps d'une folle.

Un matin, debout sur le fauteuil de barbier, je décrochais du plafond les rubans couverts de mouches vert irisé, de pattes arrachées et de fines ailes transparentes et nervurées comme de minuscules vitraux d'église, quand Emily, qui ne parlait presque jamais, me dit qu'elle aimerait aller dans un de ces endroits démontables, avec des ampoules éclairées en plein jour, des coups de feu, des mains ouvertes dans le ciel qui valsent à toute berzingue, et les peurs valsent aussi, et les cris tombent des manèges. J'ai conduit Emily à la fête foraine de Hope City, au nord de Cornado. Elle a dormi pendant presque tout le trajet. Entre deux sommes, elle m'a raconté que sa mère avait eu un accident, il y a très longtemps, en tombant d'un manège, et qu'après cet accident, sa mère était devenue presque invisible ; elle pouvait passer à travers les murs sans qu'on la voie.

On marchait côte à côte entre les attractions, dans la musique tremblante, le parfum de friture, sans s'arrêter nulle part. Emily disait sans cesse « attention » en me montrant le sol, alors que tout était plat ; tous les dangers étaient dans son esprit, dans la maison d'enfance où sa mère baissait les stores, débranchait le téléphone, fermait les verrous de l'intérieur, refusait d'ouvrir au facteur et devenait pour le monde, pour sa fille et pour elle-même doucement invisible. Dans cette fête foraine qui nous hurlait aux oreilles mais nous échappait, j'étais submergé de bouffées de tendresse. Pour rassurer Emily, j'imitais sa peur, je répétais «attention» en montrant du doigt les emballages de pop-corn Buffalo Rocks rouge métallisé qui traînaient par terre. Emily a voulu faire la queue devant le stand de tir mais elle a refusé de jouer quand son tour est arrivé. Elle s'est contentée de regarder les gens tenter leur chance. Quand un plomb atteignait la cible à cercles concentriques, Emily poussait un râle rauque, ou un cri déchiré de tonnerre, ou un effroyable soupir agonique et sifflant. Elle devenait livide et pressait violemment la main à l'endroit de l'impact: son estomac ou son cœur. Elle avait ce grand regard arrondi d'étonnement, et ce sourire horizontal de douloureux bonheur – elle mourait à chaque fois l'âme en paix. Le type qui tenait le stand a fini par nous virer: «Casse-toi avec ta dingo! Va lui donner ses pilules!» Emily était comme ces comédiennes de cinéma qui ont un rôle aussi court qu'une étoile filante et qui concentrent dans cet instant toute la lumière qui ne s'est jamais posée sur elles.

Après l'avoir vue mimer la mort quarante fois, après avoir été témoin de cette grâce décisive, je n'ai pas pu m'empêcher de parler à Emily des publicités qui se tournaient dans les studios Peace Pipe de New Paselina.

«Ch'pourrais jouer une mouche, si 'cherchent quelqu'un qui sait faire la mouche!

– Tu f'rais une excellente mouche.

– Une pub pour le ruban tue-mouches Bziter, ch'pourrais faire!

– Tu s'rais la meilleure dans ç'rôle…

– Ch'peux faire le scorpion, aussi. Pas bouger… pas bouger… attention : bouger !

– T'es la seule à savoir faire le scorpion. »

Pendant toute la semaine, on a épluché les annonces que Peace Pipe passait dans le *Tahoneck Daily News*. Ils cherchaient une « fillette spontanée avec les dents de la chance », des « femmes mûres mais bien entretenues », un « chien qui sait faire des roulades latérales », un « adolescent avec un appareil dentaire et une acné sévère », des « personnes âgées avec un bon niveau de claquettes », des « bébés sans rougeurs ». Une seule annonce correspondait au profil d'Emily : « Jolie jeune femme avec un IMC supérieur à 25. » Au téléphone, l'assistant réalisateur a pris moins de pincettes que la petite annonce. « Un indice de masse corporelle au-dessus de 25, c'est une seule des deux conditions, hein ! Y suffit pas d'avoir un gros cul ! Faut un gros cul *et* la tête d'Eva Zidoli ! Tu vois comment elle est, Eva Zidoli ? La fille d'la loterie à la télé ? Avec ses nichons d'vache laitière et sa gueule de Sainte Marie ? Tu r'ssembles à Eva Zidoli ou pas ?

– Les gens nous confondent. »

Je m'étais garé devant les studios Peace Pipe, à côté de la borne à incendie, exactement au même endroit que le jour où j'avais raté ma noyade. Emily a poussé la porte et a crié « Attention ! » en scrutant le sol lisse comme la surface d'un verre de lait. Ça faisait dix-huit ans que je n'étais pas entré dans la cathédrale païenne de mon enfance. J'ai reconnu le parfum de café et de tôle chauffée au soleil. Une femme qui était à la fois, dans un même élan nerveux, très souriante et terriblement désagréable nous a fait signe de la suivre. Il a fallu courir pour qu'elle ne nous sème pas dans le labyrinthe des décors et des plateaux. Elle a ouvert la porte d'une salle d'attente où la chaleur de sauna comprimait la poitrine et crépitait aux oreilles. Cinq paires de joues cramoisies se sont tournées vers nous. Les lourdes filles avachies ruminaient languissamment leur chewing-gum. Quand il s'accrochait aux molaires, elles le décollaient du bout de la langue en se déhanchant la mâchoire. Les filles évitaient de se regarder entre elles et semblaient réciter leur texte intérieurement. Emily s'était entraînée devant le miroir des toilettes du Bonheur. Je l'avais entendue répéter des dizaines de fois, d'une voix surarticulée et métallique : « C'est pas parce que j'ai mangé trop de glace à la myrtille que j'ai décidé de m'inscrire à Kansa Gym, c'est parce que ça coûte 19,99 dollars par mois. »

Quand Emily est entrée sur le plateau, l'assistant réalisateur avait l'air de prier : tête baissée, bras devant lui, paumes tournées vers le ciel, comme s'il portait le corps d'une femme évanouie. Il était chauve, sauf à l'arrière du crâne où de longs cheveux blonds passaient dans un chouchou rose et ressortaient en queue filandreuse. L'une de ses poches de jean était déformée par un gros téléphone portable d'où partait un fil noir qui se séparait en deux et courait jusqu'au creux de ses grandes oreilles décollées. Brad a soupesé l'atmosphère avec les mains et sa voix a tonné dans le studio : « Elle appelle quate fois sans laisser un putain d'message ! Pourquoi elle laisse pas d'message, cette conne ! » À l'instant où Brad a remarqué Emily, il a jeté un coup d'œil à la liste punaisée au mur et s'est transformé tout entier – bouche, sourcils, joues creuses, rides au coin des yeux – en un large sourire hypocrite. « Emily ? Moi c'est Brad, on s'est parlé au téléphone ! » Il a tendu la main, puis l'a brusquement retirée en disant ce qu'il avait déjà dit aux sept premières filles de la matinée : « Mais on a un problème, là… Merde… On a un putain d'problème ! Je cherche une grosse fille mignonnette pour mon spot et c'est la plus belle plante du désert de Taponeck qui ramène son corps de déesse dans mon studio ! » Il avait écorché *Tahoneck* pour la huitième fois de la matinée. Ses pensées bourdonnaient ailleurs, autour d'un mauvais pressentiment.

Sa femme venait de l'appeler quatre fois sans laisser de message : peut-être avait-elle eu vent de cette histoire de tartine humaine, cette fille miroitante de piercings que Brad avait déshabillée trois jours plus tôt, enduite de sirop d'érable et léchée devant toute l'équipe technique, pendant la fête de fin de tournage d'une publicité Funny Maple, un sirop d'érable bas de gamme, pointé du doigt par quatre associations de consommateurs en raison de ses conservateurs cancérigènes. Brad s'est massé les tempes pour se concentrer sur sa mission. Il lui restait deux heures pour remplacer la fille obèse, tombée raide morte devant les caméras, alors qu'elle rôtissait en plein après-midi sur le bec du Toucan Noir. La famille de la victime attaquait en justice le réalisateur Ignatius Reed qui avait exigé de faire d'innombrables prises à l'heure où le soleil piétinait le Pierrier. Officiellement, le tournage était interrompu jusqu'à nouvel ordre, par respect pour la famille endeuillée et pour laisser aux avocats des deux parties le temps de trouver un arrangement financier. Brad était spécialisé dans ce genre d'affaires. On l'appelait quand le parachute d'un cascadeur ne s'était pas ouvert, quand un comédien voulait quitter un tournage pour se rendre à l'enterrement de sa sœur, ou quand l'équipe d'un film, intoxiquée par une bactérie à la cantine, refusait de se remettre immédiatement au travail. Une des premières missions de Brad fut de négocier avec mon agent – c'est-à-dire avec mon père – le

«T'as oublié ton texte, sucre d'orge?»

Emily a posé son index sur sa bouche et a chuinté un long «chuuut». Brad a haussé un sourcil.

«Ravissante ta robe… On dirait la robe de la blonde dans *La P'tite Maison dans la prairie*… La p'tite peste là… Comment elle s'appelait, déjà, la p'tite peste…

— Nellie Oleson», ont répondu à l'unisson les trois assistantes d'Ignatius, chacune cramponnée à l'anse d'un mug rempli de pisse de coyote.

Elles ont eu le sentiment d'abattre une grosse partie du travail de la journée en répondant du tac au tac à la question de Brad.

«Nellie! Voilà! C'était la méchante! J'ai toujours eu un faible pour les méchantes et les pas sages… Pas toi, Mike?»

Mike a répondu d'un sourire forcé. C'était un brun en costume marron, qui accompagnait Brad dans toutes ses missions et semblait sortir d'un film des années 1950, avec ses cheveux cireux plaqués en arrière et ses lunettes à grosse monture noire.

«Tu t'souviens pas, Mike? Elle avait une coiffure avec des spirales… Comment ça s'appelle, ces conneries?

— Des anglaises! se sont écriées les trois assistantes d'Ignatius, qui ne faisaient rien mais avaient sans cesse l'air affairé et excédé.

— Putain, c'est ça! Des anglaises! On avait envie d'la prendre par les anglaises et d'la mettre à quate pattes devant Popaul, nan?»

Mike n'a pas répondu; il lisait un message sur l'écran de son bipeur, l'air atterré.

Brad s'est enfoncé un index dans la bouche et l'a fait ressortir avec un bruit de ventouse. Il le tenait en l'air, luisant de salive.

«Emily, j'vais te dire deux mots pour t'aider à trouver la direction du vent? OK? Deux mots pour rentrer dans la peau d'ton personnage et après c'est à toi d'jouer? On est d'accord?»

Emily serrait fort le seau de glace à la myrtille qu'une assistante d'Ignatius lui avait mis entre les mains. Une autre assistante a accouru pour essuyer d'un coup de chiffon la glace qui commençait à briller sur l'ourlet du pot. Brad s'est agenouillé devant Emily et d'une voix suppliante :

«Rêve et Victoire. C'est à toi, poupée.»

Je regardais les mains d'Emily compresser le pot et le déformer ; ces mains qui avaient caressé des scorpions et qui m'avaient soulevé les pieds. Peut-être que je regardais les mains d'Emily pour éviter de me noyer dans d'autres parties de son corps. Des parties absolument sans retour. Je pensais à M. Takemo qui disait que l'amour était un voyage solitaire. «On aimerait remercier la personne dont on est amoureux, n'est-ce pas? Mais qu'est-ce qu'elle y peut? Elle n'est même pas du voyage! Tout ce qu'on désire, on le désire seul. Quand l'autre s'en mêle, c'est trop tard, on a tout organisé… On a sa manière à soi de se laisser envahir et de souffrir… La joie, l'espoir, le désespoir, on tient à s'occuper de tout! À peu de chose près, l'autre n'a rien à voir avec l'amour immense qu'on lui porte.» (Ce jour-là, il m'avait semblé que M. Takemo me parlait de lui.)

«Rêve!» répéta Emily, avec cet air rieur et dément qu'elle avait quand elle observait les mouches frétiller dans la glu des rubans. Il y a très longtemps, ceux qui vivaient dans le désert de Tahoneck accordaient une immense importance à leurs rêves. On prenait soin de ses rêves, on se les remémorait, on les racontait aux personnes compétentes, et grâce à eux on entrait en contact avec le Grand Esprit. Les rêves savaient guider les hommes. Je regardais la myrtille couler sur les doigts d'Emily et me demandais où passaient mes rêves, une fois oubliés.

« Et victoire ! » ajouta Emily en montrant les dents comme un chien. Je vis le mot apparaître devant moi, en grandes lettres rouges, exactement comme les lettres de HORN OF PLENTY. Le mot me regardait avec défiance. Mais comment remporter une victoire sans se battre ? Nous nous étions déjà tous rendus. Buffalo Rocks nous encerclait et nous tirait dessus avec ses centaines de variétés de yaourts. Et si nos rêves venaient à notre rescousse ? Rêver, voilà tout ce qui nous restait à faire. Et j'ai soudain revu le visage d'Okomi, le voleur de paroles qui était venu me détrousser avec un couteau et qui avait dansé autour de mon fauteuil de barbier, autour de la tache de sang de mon père, dans le parfum d'huile de pied de bœuf, saoulé d'espoir, frappant des pieds pour que la pluie nettoie son chagrin héréditaire et que la chance lui sourie.

Le pot se tordait entre les mains d'Emily. Mike faisait de grands gestes catastrophés.

« Eh ! Doucement avec le pot ! On n'a qu'un pot pour tous les essais ! »

La seule image qu'Emily a réussi à associer aux mots rêve et victoire était celle d'un Grandpa coiffé de plumes blanc et noir, brandissant le scalp de Brad en le tenant fermement par le chouchou rose. Emily a raclé sa gorge, craché par terre et hurlé son texte :

« C'est pas parce que j'ai mangé trop de glace à la myrtille que j'ai décidé de m'inscrire à Kansa Gym ! C'est parce que ça coûte 19,99 dollars par mois ! »

Elle tenait le pot à bout de bras, renversé au-dessus de sa tête. La myrtille fondue coulait à flots, rouge sang. Emily a sorti la langue et s'est léché les bras.

Brad a observé Ignatius se pencher avec raideur, prendre un verre au pied de sa chaise et le vider d'un trait. D'un claquement de doigts, Brad a semblé prendre acte de la décision d'Ignatius, puis il a regardé Emily intensément. C'était difficile de savoir s'il allait l'applaudir ou la jeter dehors en la traitant de folle – ce qui n'aurait pas étonné Emily qu'on avait déjà traitée de folle, de dingo, de lunatique bâtarde, d'obèse désaxée et de malade mentale autant de fois qu'il y avait de cailloux dans le Pierrier.

«CONGÉLOOOOOO!» a hurlé une assistante d'Ignatius. Un stagiaire couvert d'acné, flottant dans un bermuda qui laissait voir ses fesses très blanches, a arraché le pot de glace des mains d'Emily, puis a couru vers une glacière, a soulevé le couvercle, mais réalisant qu'elle était remplie de bouteilles de Dry Corny et qu'il s'était trompé de glacière, s'est rué affolé vers une autre glacière dans laquelle il a jeté le pot comme une grenade dégoupillée. J'ai eu furieusement envie que mon père soit vivant pour lui révéler que les grands verres au pied de la chaise d'Ignatius n'étaient pas remplis d'eau, comme on l'avait toujours cru, mais de Dry Corny à 45 % d'alcool.

Brad nous a tourné le dos pour répondre au téléphone. Sa sonnerie imitait des détonations de fusil.

«Ça a intérêt à être vraiment grave, Mel! Vraiment un putain d'truc grave! Si t'appelles juste parce que je sais pas quelle conne t'a dit je sais pas quelle connerie sur cette fille hystérique de la pub Funny Maple, ça va mal se passer! J'ai léché personne et quand bien même, je vois pas pour quelle…» Brad a subitement arrêté de parler et on n'a plus entendu que le grésillement de la voix de sa femme, qui de là où nous étions, ressemblait au vol d'une mouche.

Brad a rangé son téléphone dans sa poche et il est resté un long moment sans bouger; on ne voyait que ses épaules pendantes de vautour et sa queue maigre. Puis il s'est retourné et nous a inspectés comme s'il avait du mal à croire ce qu'il voyait : d'abord mon visage qui semblait lui rappeler quelque chose de désagréable, puis la robe d'Emily à manches bouffantes, puis le jeune stagiaire, bermuda sous les fesses, fil barbelé argenté le long des grandes dents niaises, puis les trois assistantes qui buvaient à petites lapées nerveuses leur café pâle, laissant une morsure de rouge à lèvres sur le rebord en porcelaine, puis Mike, le fidèle collaborateur dont les cheveux rampaient vers l'arrière, luisaient de gel et lançaient des cris de corbeau, puis le chapeau texan d'Ignatius, racorni sur sa chaise, retranché derrière sa bouche mince et ses lunettes noires, les mains plantées d'ongles en corne grisâtre qui formaient de répugnantes torsades.

«Donc tu la trouves vraiment bien cette fille, Ignatius. On la prend?»

Ignatius, qui n'avait pas l'habitude d'être consulté de façon si directe et prosaïque, s'est penché pour attraper un verre de Corny qu'il a bu d'un trait. Autour de lui, le silence de respect religieux était le même que dans mon enfance.

Brad a entortillé sa queue-de-cheval autour de ses doigts. «Si Ignatius la veut, on la prend! Les filles, faites-lui signer les papiers et dites aux autes grosses de rentrer dans leur trou paumé.»

Brad s'est dirigé vers Mike qui s'est mis à parler les bras en l'air comme un prédicateur.

«Ça devait être écrit quelque part, Brad… Dans les lignes de nos mains ou quelque part… L'amour nous est tombé dessus! Mel voulait qu'on t'en parle l'été dernier… Mais tu traversais une période de stress… On doit tous les trois se comporter comme des adultes…» Brad a lancé son poing dans le nez de Mike qui a fait un bruit sec de biscuit qu'on écrase. Mike est tombé à genoux. Les verres de ses lunettes étaient brisés et rougis de sang. Il pleurait et essayait de dire quelque chose. Brad lui a donné un coup de pied dans la mâchoire, puis un deuxième quand Mike a encore essayé de parler. Il a retiré de sa chaussure un morceau de verre ensanglanté et a promu le stagiaire en bermuda.

«Cul blanc, tu remplaces Mike.»

L'une des assistantes a étouffé un cri de joie sous sa main – c'était la mère du stagiaire.

J'AVAIS REMPLI presque un annuaire entier de *Vie et Mort d'un supermarché*. Les images flottaient autour de moi; je les hameçonnais comme des poissons et les étalais sur le papier. Un vent de fin soufflait sur mon roman quand a commencé un de ces printemps de Pierrier, gris et chaud, sans bourgeons, sans rien de printanier. Un jour, M. Takemo m'avait dit: «Si tu écris le printemps, il faut que ce soit le printemps de tout le monde et pas ton petit printemps personnel.» Cette phrase me désolait et touchait au cœur noir de mes tourments parce que *Vie et Mort d'un supermarché* ne racontait que ma petite histoire. Épier des gens sur le fauteuil de barbier – en fait de littérature, c'est tout ce que j'avais accompli.

Pour lire mon roman, Emily tournait sèchement les pages de l'annuaire où se serrait mon écriture méticuleuse, rétrécie, aux jambes courtes et aux *i* sans point. C'était la première fois que je la voyais faire des gestes rapides et j'en tirais des conclusions flatteuses. Fleur, quant à elle, n'a fait qu'un seul commentaire: «Il y a trop à en dire.» Emily s'est chargée de taper mon texte à la machine, sans jamais me poser de question. Fleur a proposé de lui prêter son ordinateur pour gagner du temps, mais Emily a refusé avec une sorte de droiture blessée : elle avait peur que l'ordinateur, valet de la modernité, soit trop efficace et trop rapide, remplace un mot par un synonyme, supprime les paragraphes obscurs et les descriptions trop longues, et gâche la moelle du roman dont la première et peut-être la seule qualité était d'être furieusement lent. Presque aussi lent que la vie à Shellawick.

J'aurais aimé lire et relire mon roman jusqu'à la nausée et jusqu'à l'amour fou. Le masser et le gratter pendant des mois, puis le garder secret, entre deux annuaires téléphoniques, près de ma caisse enregistreuse. « Si tu l'as écrit, c'est pour que des inconnus le lisent. Sinon, pourquoi tu l'as écrit ? » Et comme je ne connaissais pas la réponse à cette question, Emily a décidé qu'il fallait envoyer mon manuscrit à l'Agence Dennis Mahoney, basée à Hope City. Elle avait vu l'annonce dans le *Tahoneck Daily News* :

« Dennis Mahoney, dénicheur professionnel d'écrivains, conduit votre manuscrit du fond de votre tiroir jusqu'aux présentoirs de toutes les bonnes librairies ! »

Fleur m'a conseillé de joindre au colis une carte postale avec quelques mots qui présenteraient mon roman. « Tout doit tenir en une phrase. » Elle m'a dit qu'elle avait toujours fait précéder ses articles scientifiques consacrés à l'échelle des temps géologiques « d'une phrase que même la cruche de la station-service de Stone Avenue peut parfaitement comprendre ». Fleur a encore augmenté mon désarroi en jugeant utile de préciser : « Si tu veux, cette phrase, c'est ta vision. » J'ai passé deux jours dans mon bungalow à secouer mon esprit comme un prunier, attendant que la petite phrase tombe de l'arbre.

«C'est l'histoire d'un supermarché qui rendit un homme pauvre comme Job et riche comme Crésus.

— Absolument pas. Tu n'as rien compris, Tom.»

J'ai passé un jour de plus enfermé dans mon bungalow.

«C'est l'histoire d'une caissière nommée Emily Dickinson, belle comme le quartz et lente comme la neige, qui a inspiré au héros ses plus beaux haïkus.

— Laisse tomber la carte postale, Tom.»

La sonnerie m'a donné un coup au cœur. J'avais complètement oublié que j'avais un téléphone entre ma caisse enregistreuse et mes annuaires. Une drôle de chose trapue en plastique caca d'oie. Trois ans plus tôt, ma mère m'avait appelé alors qu'un client me racontait, les doigts pinçant la toile de son pantalon, comment il avait perdu sa jambe au cours de la bataille de Hué au Vietnam. J'avais demandé à ma mère de me prévenir la veille, la prochaine fois qu'elle voudrait m'appeler. Depuis, le téléphone n'avait jamais resonné. J'ai répondu aussi poliment que possible, en souriant évidemment. «Le Bonheur de Shellawick, bonjour! Qu'est-ce que ch'peux faire pour vous être utile?» C'était pour Emily. Les studios Peace Pipe lui proposaient de passer un essai pour une pub Dry Corny. «Par contre faut absolument savoir monter à ch'val. Elle sait faire ça, vote fiancée?» Quand Emily a débarqué, je lui ai annoncé qu'il fallait immédiatement qu'elle aille prendre des cours d'équitation à New Paselina. «Ou alors tu viens chez moi, Tom, et tu fais l'cheval.» Elle me fixait au fond des yeux comme si elle pouvait voir par le trou de mes pupilles mon cerveau bouillir et couiner de panique.

Le sol de sa chambre était recouvert de cailloux du Pierrier. Le gigantesque cristal de quartz que Matt lui avait offert portait un chapeau melon et des lunettes noires. Emily s'est assise sur le lit et a retiré son collier de pâquerettes en plastique. Je me suis assis en catastrophe sur le rebord d'une espèce de coiffeuse de princesse encombrée de bouteilles de parfum et de palettes de maquillage. J'avais des crampes dans les jambes, la bouche, les bras, dans toutes les parties de moi qui n'auraient pas la force d'aller toucher les détours bruns des cheveux, les lèvres sèches fendillées, la bordure duveteuse bouillante des oreilles, les gouttes de sueur argentée entre les seins, le ventre à modeler, les blessures déjà guéries sur les genoux, les ongles rouges laqués écaillés, le faux-fuyant des cuisses grasses décroisées sous la jupe entrouverte. J'ai tristement baissé les yeux et j'ai vu un scorpion me grimper sur le pied. « Ne pique pas ce pied, Tyson ! » lui a ordonné Emily.

C'était la troisième fois que je me réveillais les jambes en l'air, comme une brouette au bout des bras d'Emily. « Il a dû t'trouver nerveux… Normalement, y pique pas. C'est un tendre, Tyson. »

VIE ET MORT D'UN SUPERMARCHÉ venait d'arriver à Hope City chez Dennis Mahoney quand j'ai été réveillé au milieu de la nuit par un grand tremblement. Le sol de ma chambre vibrait si fort que mon lit se déplaçait, frissonnant de toute sa carcasse métallique. Je me suis retrouvé dehors, devant chez moi, la gorge sèche, le dos engourdi de crampes, assis sur mon lit. À la place du Pierrier s'étendait une prairie d'un vert d'aube très pâle. Une ombre est apparue à l'horizon, c'était une coulée brune, mouvante, couvrant peu à peu le fond de la prairie, dans un feulement qui enflait et se rapprochait au galop, soulevant une masse gigantesque de poussière rouge, se fracassant et bouillonnant au pied du Toucan Noir, puis se déversant en cavalcade dans ma direction, bientôt si proche que j'ai aperçu dans la poussière des pattes et des sabots fendus. Le troupeau s'est arrêté à quelques mètres seulement du seuil de mon bungalow. Un bison s'est détaché du groupe et a pris la parole. « Avant, c'était moi le supermarché. Ma viande et ma graisse rassasiaient les peuples. De mes sabots, on faisait de la colle. On taillait des armes et des outils dans mes os. Mes nerfs servaient de cordes pour les arcs, mon crâne réduit en poudre guérissait les malades, ma peau avait mille vies – selles de cheval, mocassins, couvertures, revêtement de tipi. De moi, on ne jetait rien. L'odeur de ma rate brûlée éloignait les mouches.» Le troupeau de bisons a coulé en sens inverse. La poussière rouge l'a enveloppé. On a entendu des mugissements, des râles et des pleurs d'enfants. Les bisons ont disparu; à leur place, le grand cimetière de cailloux noirs.

Fleur a écouté mon cauchemar en se pétrissant la peau des bras. Elle se contorsionnait sur le fauteuil et frappait les accoudoirs.

«Tout était bon dans l'bison! Ils ont été massacrés! Et maintenant c'est à notre tour d'y passer! Ils veulent nous parquer à Cornado comme des Grandpas dans une réserve! Plutôt crever!»

J'ai acheté une carte postale du Toucan Noir (c'était la seule carte postale qui existait de Shellawick) et j'ai écrit en pattes de mouche:

Cher Dennis Mahoney,

Il y a quelques jours je vous ai envoyé *Vie et Mort d'un super-marché* et j'ai complètement oublié de vous présenter mon roman en une phrase. C'est l'histoire des Indiens des Plaines.

En espérant que vous aimerez ce que vous lirez,

Tom S. Elliott

Quand Dennis Mahoney a reçu ma carte postale, mon roman dormait au fond de son enveloppe, noyé au milieu de dizaines de manuscrits qu'il n'avait aucune intention de lire. Il a souri en caressant Margot:

« Le titre est pas trop mal. En général, c'est après que ça s'gâte, Chérie-Branleuse ! »

L'« agence » de Dennis était une table à tréteaux, située dans son studio de Hope City, entre le lit et le réfrigérateur. Il y recevrait ses clients le jour où il en aurait. Pour l'instant, il passait sa vie à sillonner les routes des Grandes Plaines, au volant de sa Chrysler LeBaron, large et rasant le sol, bordeaux avec une capote blanc crème.

Dennis avait deux choses en horreur : le maïs et la moindre saleté sur sa Chrysler. Il s'arrêtait en plein désert et s'agenouillait au bord de la route sur un coussin brodé d'un épi de maïs. Tout en expliquant, dans une cascade d'insultes, pour quelles raisons le dernier manuscrit qu'il avait reçu méritait de finir au fond des chiottes, il briquait à la peau de chamois la carrosserie de sa Chrysler qu'il appelait Margot, ou Chérie-Branleuse, parce qu'elle vibrait dès qu'elle dépassait les 50 miles/heure.

Dans tous les patelins où il débarquait, Dennis demandait : « L'est où, l'écrivain ? » comme on dirait : « L'est où, l'bureau d'poste ? » Et partout où il allait, il y en avait un. « L'écrivain ? C'est pas compliqué, tu continues tout droit et tu l'trouveras chez Freddie's en train d'rien foutre… » Ou alors : « Tu l'as en face de toi. J'ai écrit l'histoire de Winnilog depuis sa fondation en 1879. » Ou encore : « L'écrivain ? Tu parles quand même pas de ç'vieux con d'Roger qui bosse à la mairie et qui nous les brise avec ses poèmes en d'ssous d'la ceinture ? » Et Dennis répondait : « M'a l'air parfait, ç'Roger ! Par où c'est ? » La théorie de Dennis, c'était qu'en passant au peigne fin la tête de cent cinquante gamins, on trouvait forcément un pou. Alors en passant au peigne fin cent cinquante patelins, on trouvait à coup sûr un écrivain.

Quand l'écrivain du patelin – lycéenne, vétéran de guerre, barman – lui remettait son manuscrit, Dennis ressentait toujours la même gratitude envers cet étranger qui lui laissait lécher son cou et découvrir son goût. Il s'installait derrière son volant et disait à Margot: «J'y crois, Chérie-Branleuse. J'y crois dur comme queue!» Et même si son espoir était vite déçu, Dennis ne se décourageait pas. Il se disait: «On m'aura mal aiguillé», ou plutôt: «Ces têtes de bite savent pas faire la différence entre un écrivain et une punaise dans la chatte de leur mère.»

Dennis n'avait rien hérité de son père à part cette façon belliqueuse de débiter des phrases obscènes et de les esquinter au fond de la gorge par à-coups, comme on tousse. Tous les hommes de la région de Saleens s'exprimaient avec la même langue raclée et cloutée de jurons. Dès qu'un petit garçon savait maudire son bol de soupe et le traiter de bouillie de rat crevé, on lui ordonnait de finir sa soupe sans faire d'histoires, mais au fond, on était rassuré de ne pas avoir engendré un de ces êtres fragiles, au vocabulaire raffiné, qui attrapent des angines l'hiver et qui, selon l'expression régionale, terminent le cul bouché. Et tandis que ce langage ordurier prouvait et célébrait la virilité des garçons, on attendait d'une fille fréquentable qu'elle crie lièvre! et pas merde! quand elle se cognait le petit orteil contre le pied de son lit. Même si c'est à Saleens qu'on jurait le plus, tous les hommes du Pierrier et de ses alentours jaunis de maïs avaient le devoir de parler comme des charretiers. Il fallait très tôt se remplir la bouche de cailloux noirs.

Dennis comparait son métier de dénicheur d'écrivains à celui de chercheur d'or, estimant ses chances de trouver une pépite aussi «étroites que l'cul d'une chèvre qui veut pas chier». Quand il parlait, Dennis faisait toujours plus que parler: il régurgitait une bouillasse de malheur, de rancœur et de trouille qui macérait depuis l'école primaire au fond de son estomac. Dennis ne cherchait pas à gagner plus d'argent qu'il n'en fallait pour désaltérer son assoiffée de Margot et remplacer ses pièces abîmées. Il rêvait de lui offrir les enjoliveurs chromés en forme de cristaux de neige qu'il admirait sur les énormes trucks de son enfance, ceux qui traversaient dans un hurlement d'air fouetté le fin ruban de macadam perpendiculaire à la dernière rue de Saleens. Mettre la main sur un écrivain et avoir des enjoliveurs en forme de flocons, Dennis ne rêvait pas d'autre fortune. Pas de maison cramponnée au sol, seulement la route au galop, la vie passée à décamper, de bled inconnu en patelin presque rayé de la carte, pour rejouer sans fin sa fugue loin de Saleens, à l'âge de dix-sept ans, trouant ses chaussures sur la route limée par le vent, parlant seul, chantant fort, pleurant de soulagement, tournant le dos aux champs de maïs décoiffés, s'arrêtant pour regarder les mauvais, les somptueux corbeaux, proposant ses services au premier venu en échange d'une bière fraîche et, malheureusement pour Dennis, d'un plat du jour à base de maïs. Après quelques heures ou quelques jours de travail, Dennis retournait, orteils au vent, faire son chemin, dressant le pouce au-dessus de la route sans jamais s'arrêter de marcher, sentant le souffle des voitures l'embrasser dans le cou et faire tinter les longues franges à perles de sa veste en daim, éprouvant la même tendresse pour les voitures qui le dépassaient à 60 miles/heure sans ralentir que pour celles qui s'arrêtaient et

Pendant ses années d'auto-stop, Dennis a rencontré des centaines de langues qu'il n'a jamais eu de mal à délier. À part le meurtre de sang-froid, il a entendu tout ce qu'on peut craindre ou espérer de la vie. Toutes les nuances de drames, les disputes au couteau, les accouchements sur des paillassons couverts de neige, les nouveau-nés si petits qu'ils tenaient dans la paume des mains, les incendies, les faillites, les voitures dans le ravin, les coups de foudre, les dents cassées dans les bagarres, les apparitions surnaturelles, les médailles sportives, les secrets de famille, les vengeances, une rencontre nez à nez avec un ours dans le Montana…

Margot est née d'une de ces confidences. Une femme à longue natte brune qui se faisait appeler Souris avait pris Dennis en stop à l'est du désert de Tahoneck. Après une demi-heure de route à cœur ouvert, Souris a proposé à Dennis de faire à deux ce qu'elle faisait toute seule une fois par mois : braquer une station-service. Elle lui a confié le bon rôle, celui du type qui reste dans la voiture, fait chauffer le moteur comme un taureau prêt à charger, et attrape au vol la fille qui sort à reculons, un sac plein de billets dans une main, un pistolet dans l'autre, le visage moulé dans un bas noir. Ce que Dennis a préféré, c'est avoir la peur au ventre. Ensuite, ils ont roulé en silence et Souris a proposé de s'arrêter dans un motel pour partager le butin et se reposer avant de reprendre la route. La chambre sentait la moisissure et le chlore et Dennis s'est souvenu avec effroi des vestiaires de la piscine, des rires des autres garçons et de cette odeur si caractéristique de maillot de bain mouillé qu'on a laissé pourrir au fond d'un sac toute la semaine. Souris a retiré sa culotte et son soutien-gorge et Dennis s'en est beaucoup voulu de ne pas avoir deviné plus tôt – c'est-à-dire avant de voir briller un piercing argenté à la pointe du clitoris de Souris – que sa complice n'était pas venue dans cette chambre pour faire deux tas de billets et piquer un somme. Dennis lui a expliqué avec toute la grossière délicatesse dont il était capable qu'il voyait bien qu'elle avait des nichons ronds comme des pamplemousses, mais qu'il fallait vite les remballer parce qu'il n'avait eu, de son côté, que de rares aventures sexuelles ces dernières années, et toujours avec des hommes. Souris s'est contentée d'un : «C'était pas écrit sur ton front», puis elle a vidé le sac sur le lit et a distribué les billets de banque, toute nue, comme des cartes à jouer.

C'est grâce à ce magot que Margot est entrée dans la vie de Dennis. Il s'est jeté sur elle quand il l'a vue dans le parking du concessionnaire Chrysler et l'a payée en coupures de 50 dollars. Malgré sa capote blanc crème immaculée, Margot avait déjà été mariée. C'était un amour de seconde main avec 120 000 miles au compteur. Grâce à elle, Dennis n'a plus jamais roulé au hasard, trimbalé par l'horizon des autres. Il a foncé droit où son intuition de chercheur d'or le menait. Il a décidé de retourner tous les champs, toutes les villes et tous les déserts, et de les trouver, ces pépites sans éclat, ces découragés, ces écrivains sans lecteurs. Ceux qui avaient des haut-le-cœur à chaque fois qu'ils ouvraient le tiroir où jaunissait le manuscrit terrifiant et sublime que leur entourage avait lu du bout des doigts et que Dennis allait sortir de la vase, briquer pour qu'il brille comme les flancs de Margot, et faire voyager à côté de lui, sur le siège passager en cuir crème, jusqu'aux grandes maisons d'édition où il exigerait de parler à quelqu'un d'important, au grand chef, au magicien qui a le pouvoir de transformer un tas de feuilles en roman estampillé d'un code-barres. Dans sa langue fleurie, Dennis expliquerait au Tout-Puissant qu'il a dans son sac une chienne de poésie sanglante et tordue, qui mord, bave et réclame son dû. Dennis savait qu'il existait une autre façon d'exercer ce métier – jambes croisées sur un bureau envahi de manuscrits envoyés par la poste, étriqués dans des emballages gâtés par la pluie, tout gondolés d'espoir et d'orgueil. Mais ce qui intéressait Dennis, c'étaient justement les écrivains sans orgueil et absolument désespérés, carburant à l'alcool et aux antidépresseurs, convaincus de n'avoir pas encore écrit une seule ligne qui mériterait qu'un inconnu, à l'autre bout du pays, perde son temps à la lire. Parfois, Dennis se payait un encart dans un journal local, vantant les services de son «agence d'auteurs». Il recevait alors sur le crâne, comme la grêle sur la carrosserie de Margot, une pluie de manuscrits lourds et bruyants, qui fondaient entre les doigts à mesure qu'on en tournait les pages et confortaient Dennis dans l'idée que sa méthode de prospection littéraire était la seule valable. Pour continuer à faire son métier de dénicheur d'écrivains sans crever de faim, Dennis avait organisé un système d'escroqueries, un peu moins moral qu'immoral. Il avait appris à repérer les auteurs aux abois, ceux qui ont déjà frappé à toutes les portes, tiennent debout à la force de l'amour-propre et sont prêts à vendre leur mère et leur chien pour que soit enfin publiée la moindre de leurs pages. La première étape consistait à assurer l'auteur de son talent. La deuxième, à signer un contrat dans lequel l'agent littéraire Dennis Mahoney acceptait d'aider de son mieux la graine d'écrivain, en échange de quelques milliers de dollars. Quand le type reculait son stylo en découvrant le montant de la prestation, Dennis pointait du doigt la clause qui prévoyait un remboursement *total* des frais en cas d'absence, totale elle aussi, de publication. La troisième étape n'était qu'une formalité: Dennis versait un pot-de-vin au directeur d'une feuille de chou locale, lequel publiait un extrait du roman dans son journal, juste avant les petites annonces. Il n'y avait pas d'autre étape. Dennis mettait tout son cœur et tout son enthousiasme (qui n'était pas feint, car il venait d'empocher entre 1 000 et 3 000 dollars, selon ses proies) pour annoncer à l'auteur malade d'espérance qu'un directeur de journal avec de sacrées relations dans le monde de l'édition avait adoré *la petite voix inimitable de son écriture*, et qu'il acceptait de publier gratuitement une pleine colonne de cette inimitable petite voix. «Et de là à ç'qu'un éditeur tombe sur ton texte et te repère, y a moins d'un pas, Taylor!»

Le texte était publié dans l'édition du dimanche. Taylor passait la première semaine à dévisager les caractères d'imprimerie sur le merveilleux papier journal au parfum chimique de félicité. La semaine suivante, l'euphorie était remplacée par un sentiment inconfortable de doute et d'espoir – Taylor appelait Dennis tous les matins pour savoir si un éditeur s'était montré intéressé. À chaque coup de fil, Dennis expliquait, par petites touches astucieuses, qu'il ne fallait plus attendre grand-chose maintenant, et que c'était déjà extraordinaire que le *Pessahee City News* l'ait *publié* – Dennis insistait particulièrement sur ce mot qui lui permettait contractuellement de garder l'argent de son client. En douze ans, ces méthodes n'avaient coûté à Dennis qu'un coup de poing dans le nez, et à Margot, un chargeur de revolver dans la peau.

Depuis qu'il était parti de chez lui en courant, Dennis ne parlait plus à son père. Il appelait régulièrement sa belle-mère Marilyn qui lui envoyait des colis de beignets faits maison et des serviettes de toilette brodées d'épis de maïs. Dennis revendait tout à la sortie de l'église.

«Mais tu fais quoi au juste, Dennis? Tu travailles dans quoi en ç'moment?

– J'lave des pare-brise... Ch'fais la plonge... J'décharge des camions... Et j'cherche des écrivains!

– Bah c'est bien tout ça... Tu dois être content... T'es pas dans l'maïs au moins!»

Tout ce que Marilyn disait était idiot, mais cette idiote avait élevé Dennis avec une telle tendresse et une telle volonté de bien faire que Dennis ne pouvait pas s'empêcher de l'aimer. Elle avait fait de lui son confident.

«Écoute... À toi j'peux l'dire... J'ai une histoire.

– Une histoire dans un lit?

– Oui, enfin... une histoire d'amour.

– Avec qui?

– Tu pourras jamais d'viner...

– Ton prof de broderie.

– Comment tu sais! Tu m'jures que tu l'dis pas!

– À qui tu veux qu'je l'dise? À Margot?

– Si ton père l'apprend, y m'tue.»

Dennis avait une théorie sur l'éducation. La seule mission des parents était de laisser leurs enfants en paix et de les observer avec acharnement jusqu'à découvrir leurs talents cachés. Après des années de silence et de désinvolture, les parents devaient alors exercer toute leur amoureuse perspicacité d'un coup, en dévoilant le nom du métier extraordinaire fait pour leur enfant. Dennis se serait senti pousser des ailes si son père lui avait dit: «Je t'ai bien

observé, et plus tard, mon fils, tu seras dénicheur d'écrivains.»
Mais les choses s'étaient passées autrement. Dick Mahoney ne
supportait pas de voir son fils absorbé par ses livres, toujours à
mordiller le col de son T-shirt, sans ressentir la faim ni aucun des
besoins de son corps.

«Tu vas finir par te pisser d'ssus, espèce de taupe!»

Comme ni les insultes ni les gifles à l'arrière du crâne ne sortaient Dennis de sa lecture, son père a fini par en vouloir aux
livres. Il a cherché à les humilier physiquement. À détruire par la
honte leur pouvoir ensorcelant. «L'incident du poil» s'est produit
un samedi soir. Dennis lisait sur son lit quand son père a débarqué en caleçon, sautillant d'un pied sur l'autre comme un boxeur,
le torse moulé dans un tricot de corps sur lequel se trémoussait
un pendentif en forme d'épi de maïs. Dick a arraché le livre des
mains de Dennis et l'a glissé sous l'élastique de son caleçon.

«Regarde! Y s'passe rien! Ma queue, ça la fait pas bander tes
histoires à la con! Tes copains sont en train d'bouffer les touffes
de tes copines de lycée et toi tu restes dans ta chambre avec ton
livre! Un samedi soir! Mais t'as une maladie, Dennis! Chais pas
comment elle s'appelle, mais t'as une putain d'maladie!»

Dick a ressorti le livre de son caleçon et l'a jeté sur le lit de
Dennis. Un poil dépassait de la tranche du livre. Dennis l'a
regardé, vrillé, dru, noir, avec un dégoût qui n'a plus jamais quitté
le fond de sa gorge.

Quelques jours après l'incident du poil, Marilyn a conduit Dennis
à la clinique de Cornado.

«Si on doit résumer la situation, tu lis toute la journée et à
part ça, rien ne t'intéresse et tu ne mets plus les pieds à l'école...

– C'est exactement ça, docteur.

– Madame, c'est à votre beau-fils que je pose la question.
Qu'est-ce que tu peux me dire, Dennis?

– Euh… J'adore lire et ça l'enrogne, mon père.

– Tu penses que tu pourrais passer combien de jours sans lire
et sans te sentir en manque?

– Ch'pourrais pas t'nir un jour. »

La belle-mère de Dennis a poussé un cri, précipitant ses mains
couvertes de bagues sur ses lèvres qu'un docteur de la même clinique avait copieusement regonflées un mois plus tôt.

« C'est incompréhensible, docteur! Y a pas un livre à la maison!
J'vous l'jure sur la vie d'Rusty! Pas un livre! On est des gens réels,
nous! On r'garde la télévison! On fait des beignets d'maïs! On fait
du sport! J'ai fait trente-troisième au semi-marathon du désert de
Tahoneck! Mais ç'gamin… c'est impossible de lui faire prendre
un bout d'muscle! Y s'fiche de son corps! Y s'fiche même de plaire
aux filles! Alors qu'son père a été sacré Mister Saleens en première
année d'fac! On a les pieds sur terre, nous! Dick est dans l'maïs! Il
est même tout en haut d'l'échelle du maïs! Dennis a que des bons
exemples sous les yeux! On est d'bons chrétiens et quand Dennis
était p'tit j'l'emmenais à l'église et il adorait ça! Mais l'aute jour,
y m'a dit que Dieu et l'maïs, ça lui donnait la diarrhée. »

Marilyn s'est pincé les lèvres pour ne pas pleurer.

« Son père et moi, on a très peur que ça s'termine mal… Si on
fait rien, y va finir en prison ou y va finir homosexuel, mais en
tout cas y va mal finir! Faut qu'il arrive à décrocher, docteur. Faut
plus qu'y touche à ça. Plus un seul livre… C'est une question de
vie ou d'mort pour note famille. »

Le docteur s'est pincé les lèvres, exactement comme Marilyn l'avait fait.

« Est-ce que vous pourriez nous attendre à l'extérieur, madame Mahoney ? Je vais avoir une conversation avec Dennis.

– Merci du fond du cœur, docteur ! Je vous paierai le prix qu'il faudra… Vous m'avez bien entendue. »

Marilyn a claqué la porte et son parfum saoulant de muguet a fait éternuer le psychiatre qui est parti dans un fou rire aigu, le front cramoisi. Dennis ne voyait plus qu'une masse vibrante de cheveux noirs dépasser de la table derrière laquelle le docteur était, au sens propre, plié en deux, le nez écrasé contre le velours côtelé de son pantalon. À chaque fois qu'il se calmait et s'apprêtait à dire quelque chose, le fou rire lui retombait dessus. « Droguez-vous, jeune homme ! Droguez-vous ! » Il a montré d'un geste désabusé la vue par la fenêtre. « Qu'est-ce qu'on peut faire d'autre, de toute façon ?

– Y a drogue et drogue quand même…

– Ah non, mon p'tit ! Y a qu'une seule drogue !

– Pour la santé, j'veux dire…

– C'est pour les emmerdeurs, la santé ! Faut vivre, Dennis ! Mais dans un sens, t'as raison… Y a drogue et drogue… C'est la lecture qu'a les plus beaux effets secondaires… Alors lève la main droite et jure-moi de continuer à t'droguer.

– Je l'jure. »

Le psychiatre a retrouvé son sérieux et a avoué à Dennis que malheureusement, les parents étaient une variété inconstante. « C'est comme les abricots. Parfois on tombe bien, parfois c'est dégueulasse. » Il a conseillé à Dennis de n'écouter que son cœur, et de prendre le large dès qu'il en aurait l'occasion. Sur l'ordonnance, il n'a écrit que trois mots : « une bonne fugue ».

Dans la voiture avalée entre deux champs de maïs, Marilyn a soupiré d'un air gentil : « Les gens de tes romans, tu sais… faut pas les regretter. Ils existaient pas. C'était du vent. Maintenant, grâce au docteur, tu vas vivre vraiment. » La moitié idiote de cette remarque s'est envolée par la grille de l'air conditionné et Dennis a gardé dans la bouche l'autre moitié, son affreux goût de vérité. Le parfum de muguet lui piquait la gorge. Par la fenêtre, c'étaient toujours les mêmes plans de maïs qui apparaissaient au bord de la route et donnaient l'impression d'un manège lancé à toute vitesse. Personne n'intéressait Dennis plus que les personnages de ses livres. Certains étaient même de bons amis, mais Dennis savait qu'aucun d'eux ne s'intéresserait jamais à lui en retour. La littérature était forcément un amour déçu. Dennis rêvait d'être lui-même un personnage, d'être inventé par un écrivain et de vivre à l'intérieur d'un roman. Il regardait les champs de maïs en se demandant dans quel roman il aimerait le plus vivre. Puis cette idée l'écœurait. Comme disait Marilyn, maintenant, il fallait vivre *vraiment.*

Parfois, Dick Mahoney trouvait son fils recroquevillé dans l'escalier, l'air perdu et fiévreux, enroulé autour d'un livre. Il était pris de pitié et lui donnait une tape dans le dos : « Te fais pas d'bile, Dennis. De toute façon, tu finiras dans l'maïs. » La colonne vertébrale de Dennis se courbait un peu plus encore au son de cette condamnation à mort.

Le dimanche, pendant que Marilyn vendait à la sortie de l'église ses torchons et ses coussins brodés, le père de Dennis se saoulait au Dry Corny et sortait les livres de recettes des placards de la cuisine. Il accueillait Marilyn en rugissant : «C'est toi! C'est toi, avec tous tes bouquins! Tu lui as mis l'goût des livres! J'vais foute le feu à ç'te merdier, moi!» Et comme Dick était déjà passé à l'acte plusieurs fois, Marilyn attrapait un livre pour le sauver de l'autodafé. Elle suppliait son mari de ne pas agir sous le coup de la colère. «Dick, regarde! Galettes de maïs! Gâteaux d'maïs aux pommes! Pop-corn au caramel! Pop-corn aux airelles! Porridge! Beignets d'maïs!» criait Marilyn en faisant défiler les pages collées entre elles par du blanc d'œuf. «C'est le livre du maïs, Dick! C'est tout ç'que tu adores!

– Du maïs, c'est du maïs! Et un livre, c'est un putain d'livre!» vociférait Dick. Rusty, le caniche de Marilyn, se mettait à aboyer, et pendant un quart d'heure sa petite gueule en rogne plantait des cris suraigus dans le vide.

La plus grande peur de Dennis était d'assister à cette scène toute sa vie sans pouvoir prendre la fuite. Dès qu'elle était anxieuse, Marilyn éprouvait le besoin irrépressible de coudre et de broder. Dans la maison, chaque serviette, chaque gant de toilette, drap, coussin, nappe, torchon, rideau, tout ce qui était assez mou pour qu'une aiguille s'y jette de la pointe au chas arborait son épi de maïs. Il arrivait à Rusty de traverser de violentes crises de démence qui se déclenchaient quand, pelotonné sur un coussin, son regard tombait sur l'épi. Il se dressait sur ses pattes, grognait, lançait ses affreux cris en direction de l'épi, puis le lacérait à coups de griffes et de dents, luttait à la mort contre le coussin et terminait son combat sur le dos, tournant comme une toupie, la gueule écumant de bave. Dennis était toujours ému par ces démonstrations de haine à l'égard du maïs. De ce point de vue là, Rusty était son seul allié à Saleens, où tout le monde vénérait le maïs et où, même ivre de colère et d'ennui, on traitait Dieu de fils de pute bien avant d'oser injurier la céréale bénie. Quand les crises se sont multipliées, Dick a réclamé la mort du chien. «Ce clebs touche encore à un seul putain d'grain d'maïs et j'le bute d'un coup d'fusil dans sa gueule de frisé!» S'attaquer au maïs brodé, c'était s'attaquer au *drapeau* de Dick. «Ce putain d'sac à puces n'est pas patriote! Il insulte le drapeau!» Alors Marilyn serrait la main de Dick contre sa poitrine et jurait que Rusty adorait le maïs et l'Amérique. Elle hoquetait et expliquait en vain que d'après le docteur, l'agressivité de Rusty était due à son régime alimentaire trop sucré. «C'est d'ma faute, Dick! C'est pas à lui qu'y faut s'en prendre! J'l'ai laissé manger des beignets et du pop-corn tous les jours! C'est l'sucre qui l'a rendu dingue!» Dick a réitéré ses menaces de meurtre et Marilyn a dû se bourrer de calmants pour accepter l'idée qu'elle rentrerait un soir de son cours de broderie indienne pour trouver Rusty assassiné sur son coussin. «Si tu veux pas qu'y lui arrive malheur, t'as qu'à rester ici! Au lieu d'écouter les conneries du Cul-Rouge qui court après ta chatte!»

Chaque samedi, Marilyn apprenait à broder des perles en verre et des épines de porc-épic sur des bracelets en peau de vache, dans l'atelier de John Kills Straight, un jeune Lakota qui racontait à ses élèves l'histoire des peuples sioux. Marilyn rentrait toujours révoltée, pleurant en saccades, comme si elle vomissait. Elle répétait à Dick tout ce qu'elle avait appris. «On a tué leurs bisons exprès pour qu'ils perdent leur âme! C'étaient des animaux sacrés! On a découpé des p'tits morceaux de terre pas plus grands qu'ça... de

avait écoulé clandestinement son « eau de maïs » avec la complicité des autorités locales. Contrairement à ses camarades, Dick n'avait pas quitté l'université pour défendre le drapeau américain dans le Pacifique mais pour rejoindre l'entreprise familiale Mahoney & Sons. Grâce aux bonnes relations de son père, trois médecins militaires avaient miraculeusement dégoté, sous la peau de Dick, une maladie cardiaque, des symptômes de dépression chronique et, radios frauduleuses à l'appui, une scoliose en forme de serpent.

Quand Dick est entré chez Mahoney & Sons, l'entreprise traversait une mauvaise période et licenciait à tour de bras. Dick s'est plongé dans le travail avec une dévotion illuminée. Il ne rêvait que d'une chose : faire la fierté de son père. Il menaçait sans arrêt de quitter sa femme Betty si elle s'avisait de tomber enceinte au moment où il avait le plus besoin de calme et de concentration. À l'âge de quarante-deux ans, Betty a enfin reçu de Dick l'ordre de faire un enfant, et plus précisément un garçon. Elle s'est exécutée sur-le-champ. Dennis a vu le jour dans une gigantesque maison, froidement rangée, qui n'accueillait jamais de visiteurs parce que Dick refusait de gaspiller son temps en mondanités. Dennis a grandi entouré de trois femmes – sa mère, qui était tout le temps fatiguée, et deux gouvernantes qui ne l'étaient jamais. Pour faire rire Dennis, les gouvernantes l'appelaient « grand maître » et, en retour, Dennis les appelait « Grande Margot » et « Grande Marilyn ». Il n'aimait que Margot, mais murmurait à l'oreille de Marilyn, pour la consoler : « Tu es ma préférée. » Marilyn sentait terriblement le muguet, tandis que Margot sentait Margot, l'odeur du bonheur.

Dennis venait d'avoir quatre ans quand il a vu, du haut de l'escalier monumental qui menait au hall d'entrée, son père pleurer, tituber et se retenir à la statue de Déméter dont les bras chargés d'épis de maïs se sont brisés net et sont tombés à ses pieds. Quelques jours plus tard, on a habillé Dennis en «vrai petit homme» – costume noir, gilet, cravate et casquette en laine. Pendant que Margot boutonnait le gilet plastronné, Dennis se demandait s'il pourrait garder le déguisement pour jouer au directeur de banque, ou s'il faudrait le rapporter au magasin à la fin de la journée. Une heure plus tard, au milieu d'une foule de visages presque tous inconnus, Dennis s'est tourné vers Margot pour lui demander combien de temps sa mère allait rester sans bouger dans cette boîte. Margot a pressé le bras de Dennis comme on se pince pour faire passer une douleur après s'être cogné.

Les deux années qui ont suivi ont été si catastrophiques pour les affaires de Mahoney & Sons que Dick a dû se résoudre à vendre la distillerie de Dry Corny au géant Buffalo Rocks pour une bouchée de pain. La famille a déménagé dans une maison très sombre du centre-ville de Saleens et Margot a été remerciée. Marilyn dormait dans la même chambre que Dick, ce que Dennis trouvait bien normal, puisque la nouvelle maison était beaucoup plus petite que l'ancienne et qu'il fallait que chacun fasse des efforts. Dick a demandé à Dennis d'appeler Marilyn «maman Marilyn» et on n'a plus jamais parlé du jour où Dennis avait été déguisé en vrai petit homme. À sa grande joie, Dennis avait pu garder le déguisement. Pourtant, à chaque fois qu'il l'enfilait pour jouer au directeur de banque, l'envie de s'amuser l'abandonnait et le gilet le serrait douloureusement à l'endroit du cœur.

Le père de Dick avait connu l'âge d'or de Mahoney & Sons et il est mort à l'hôpital public de Cornado, dans un dortoir où les lits étaient séparés par des rideaux coulissants. La dernière fois qu'il a vu son fils, il lui a dit que même au ciel il ne lui pardonnerait pas d'avoir saccagé l'œuvre de quatre générations passionnées et ingénieuses de Mahoney; encore moins de l'avoir laissé mourir là, au milieu des losers de l'Amérique, aussi pauvre et pouilleux qu'un cul-terreux d'Anglais tombé du *Mayflower*.

« Et quand ch'pense que tu leur as donné la distillerie! T'aurais dû leur filer directement mon cœur dans un bol! » Après la mort de son père, Dick s'est mis à boire comme une éponge et a développé une maladie de peau qu'aucun médecin n'a réussi à soigner. Son corps était couvert de boutons lisses, protubérants et jaunes, agglutinés les uns aux autres. Dennis a été le seul à remarquer que son père se transformait en épi de mais. À l'heure des repas, Dick se grattait frénétiquement et ses boutons semblaient prêts à tomber dans son assiette. Seul le Dry Corny soulageait ses démangeaisons. Assise en face de lui, Marilyn semblait perdue dans ses pensées. Elle portait de plus en plus de parfum, comme si elle cherchait à s'isoler du monde, bercée dans les bras du muguet. La bouche remplie de nourriture mâchée, Dick marmonnait que le maïs pouvait monter jusqu'à quatre mètres de haut, qu'il avait au moins quatorze feuilles sur sa tige, une à droite, une à gauche, une à droite, une à gauche, et ainsi de suite, et qu'on semait toujours en avril et en mai, que les fleurs venaient soixante-dix jours après le semis, qu'il fallait compter seulement une semaine, maximum deux, pour la pollinisation d'un champ entier, qu'il y avait cinq cents grains par épi de maïs, que chaque grain pesait à peu près un tiers de gramme et qu'il y avait tout pour faire un homme dans un champ de maïs, tout pour le faire grandir et puis tout pour le foutre à genoux et lui défoncer le crâne à coups de grêlons. Il buvait beaucoup plus qu'il ne mangeait et levait son verre en geignant d'une voix pâteuse qu'il y avait dans les champs de maïs tous ses souvenirs d'enfance, ses après-midi avec les deux sœurs de la ferme voisine, ses mollets et ses épaules éraflés par les grands sabres verts du maïs… Et quand le repas touchait à sa fin et que Marilyn, dans ses effluves de muguet, servait les crêpes de maïs au miel, Dick descendait coup sur coup deux grands verres de Corny, se hissait sur ses jambes chancelantes, donnait des coups de tête sur le côté, comme un cheval qui veut se débarrasser de sa bride, et se mettait à gueuler, en fixant Marilyn, que dans tous les champs de maïs de ce pays, sans aucune exception, il était là, en personne, Richard Jonathan Mahoney, fils du grand Richard Albert Mahoney mort à l'hôpital public de Cornado, mort comme un bouseux, mort comme un cul-terreux, il était là, lui, Richard Jonathan Mahoney, la queue sortie, le caleçon sur les chevilles, à fourrer l'un après l'autre les p'tits cons dévergondés des deux sœurs de la ferme voisine, ces p'tits cons broussailleux, noirs de poils et dégoulinants d'un foutre aussi gras que le Dry Corny, et les plans de maïs se rinçaient l'œil, ils m'encourageaient, vas-y Dick, écrase-les sous tes couilles, qu'elles repartent avec de la terre et des graviers dans le cul, ces deux infatigables putes.

Dans ces moments-là, Dennis ressentait une telle pitié pour Marilyn qu'il avait à peine conscience de haïr son père.

J'AI TROUVÉ UNE LETTRE D'EMILY, qui se balançait dans Le Bonheur, pendue dans le vide, collée au bout d'un ruban Bziter. Elle l'avait écrite sur une page déchirée d'annuaire téléphonique. Les jambes de ses lettres formaient des queues de scorpion terminées par un aiguillon. Les points de ses *i* et de ses *j* portaient des ailes de mouche.

Je n'ai jamais eu autant de clients que ce matin-là. J'avais envie de pleurer et j'étirais mon dernier sourire en me souvenant de la voix de mon père : « Souris ! Souris même quand t'es seul derrière ta caisse ! Sans quoi quelqu'un pourrait entrer et te surprendre en train de tirer la gueule ! Et tu s'rais cuit ! » J'aidais mes clients à bourrer leurs sacs de pancakes, de paquets de marshmallows, de bocaux d'airelles, de tartes au potiron, de tubes de crème de marron… « Prenez tout ! C'est l'dernier jour ! C'est gratuit ! Tout est gratuit ! Invitez vos beaux-parents à dîner ! Servez-leur cette magnifique dinde à zéro dollar le kilo ! C'est ma dernière dinde ! »

Matt et ses trois frères se sont trouvés par hasard devant la dinde, leurs mains étoilées de taches rousses prêtes à attraper la grosse bête emballée. Sur l'étiquette, le *Mayflower* gonflait ses voiles et les Pères pèlerins, tout en noir et larges cols blancs, tendaient les bras vers l'Amérique.

«Prends-la, Jacob», dit Matt au plus jeune de ses frères, à qui il adressait la parole pour la première fois en quinze ans.

«Nan, tu l'as vue l'premier. Elle est à toi, Matt.

— C'est pas une histoire de qui l'a vue en premier... Je bouff'rai jamais tout ça! Prenez-la, vous êtes trois.

— Nan, prends-la! Ç'qui compte, c'est qui c'est qu'était là avant, et c'était toi.

— Ça dépend, y en a qu'étaient là avant et qui s'sont retrouvés sans rien... C'est arrivé!

— Coye! Tu vas pas déjà nous bassiner avec tes Grandpas!

— J'dis juste qu'on peut s'croire chez soi pendant des siècles et des crêles débarquent de l'aute bout du monde et décrètent que...

— Matt! Même les zates en ont marre de tes histoires! Regardeles! Elles se jettent sur le ruban Bziter! Allez viens nous aider à bouffer ç'te dinde à la maison... Elle est trop grosse pour trois...»

La veille, j'avais fait une dizaine d'allers-retours entre le grand supermarché et mon petit Bonheur. Sam le robot m'avait poursuivi dans les allées, ses lumières clignotaient, j'entendais son moteur battre de colère. Les portes cristallines susurraient en s'ouvrant, je me retrouvais dans la toux sèche de Small Fox Road, poussant mon caddie rempli à ras bord de tout ce que le Horn of Plenty possédait de plus cher et de plus appétissant.

En moins d'une heure, tout a disparu. Même les *baguettes parisiennes*, qui devaient effectivement venir de Paris et étaient dures comme du bois, ont trouvé preneur.

Il ne restait plus que le parfum d'huile de pied de bœuf et Fleur, endormie dans le fauteuil de barbier. Dans un annuaire :

Fleur fanée
Les fils blonds de la jeunesse
Dans la folie sombrent

Ses cheveux en foutoir imitaient une passoire argentée posée de travers sur son crâne. Elle était entrée dans Le Bonheur en écrasant ses mèches dans ses poings : « T'aurais quand même pu m'dire de quoi j'avais l'air ! C'est quand on a vingt ans qu'on porte les cheveux longs jusqu'à la raie des fesses ! J'les ai coupés avec des ciseaux à ongles ! Toute seule ! Sans miroir ! C'est officiel, Tom ! Je suis vieille ! »

J'ai quitté Le Bonheur sans la réveiller. En arrivant au bout de Small Fox Road, j'ai vu quelque chose blanchir dans le vent à la surface d'un caillou. Peut-être une plume d'une de ces buses de Swainson qui tournent haut dans le ciel et guettent l'instant parfait. En m'approchant, j'ai vu que c'était une fleur, une grappe de grelots blancs, nacrés et duveteux, le pied dans la pleine nuit du Pierrier.

Ma mère avait préparé des galettes de maïs au bœuf. Elle portait son tablier à fleurs et frictionnait la cicatrice sur son front, comme à chaque fois qu'elle était anxieuse. Et moi je faisais tourner mon œil-de-tigre au fond de ma poche, comme à chaque fois que j'avais besoin de me donner du courage.

« Mais écrire quoi ?

– Des livres.

– De cuisine?

– Mais nan… Des espèces d'histoires…

– Des espèces d'histoires! Enfin pour quoi faire?

– Pour vivre, ch'uppose.

– Tu vends des fleurs, mon pauve Tom! Tu vas pas gagner un dollar! Faut quand même manger! Tu connais des gens à Shellawick qui vont lire tes histoires?

– Y a pas qu'Shellawick, m'man.

– Comment ça y a pas qu'Shellawick? Tu veux aller à Tahoneck? À Cornado?

– Plus loin qu'ça…

– Fais pas l'toucaneux, Tom.

– Tu vas pas la mettre dans un verre d'eau?

– Zate, elle a pas besoin d'eau! Elle a réussi à pousser dans l'Pierrier, c'est une dure à cuire!

– J'en avais encore jamais vu.

– On dit qu'ça arrive qu'une seule fois dans la vie de croiser une fleur dans l'Pierrier.

– Et c'est bon signe?

– Faut voir… Moi, l'jour où j'ai croisé ma fleur, j'ai glissé sur une flaque d'huile à l'usine et j'me suis fait ma cicatrice sur le front… Ton père, y m'disait qu'elle m'allait bien et que plus tard, quand on s'rait aveugles, y m'reconnaîtrait en la touchant avec le bout des doigts… Mais pourquoi tu l'as pas donnée à cette fille, ta fleur?

– Qui ça?

– Paraît qu'on t'voit avec cette fille, là… Tu sais, sa mère avait eu l'accident à la fête foraine et elle avait touché une fortune…

– C'était pas une fortune, c'était 1 500 dollars.

— C'est Emily qu'elle s'appelle, c'est ça?

— Emily Dickinson.

— Alors t'es avec elle ou pas?

— Chu' avec elle mais j'la laisse tranquille.

— Qu'est-ce ça veut dire j'la laisse tranquille?

— Ch'pense à elle... J'écris des poèmes...

— Touré... C'est pas comme ça qu'j'vais ête grand-mère...

— Moi ça m'suffit d'penser à elle... Elle est insaisissable...

— Tu veux dire qu'elle est un peu dérangée? On m'a dit des choses bizarres sur ç'te fille...

— Elle est parfaite.

— C'est vrai qu'elle pèse 90 kilos?

— Chai pas, m'man, j'l'ai jamais pesée... Elle est belle, c'est tout ç'que ch'peux t'dire.

— Vous allez vivre ensemble au moins?

— Elle est partie d'Shellawick... Elle m'a laissé un mot ç'matin...

— Elle t'a quitté?

— Nan, elle est allée ailleurs... Elle veut ête comédienne... Elle tente sa chance....

— Les cailloux s'ront pas plus noirs ailleurs.

— Ça, on peut pas savoir, m'man. »

J E ROULAIS VITE, je tranchais le désert, la route était droite et sûre, quand tout autour, le noir s'est mis à bouillir. J'ai vu au dernier moment le 4 × 4 déraper et se garer en travers. J'ai eu le temps de freiner et de m'entendre crier : « Coye ! » Ils étaient deux, avec des cache-col relevés jusqu'à l'arête du nez et des casquettes bleues des Los Angeles Dodgers. Je revois le plus petit ouvrir ma portière, se pencher au-dessus de mes cuisses pour défaire ma ceinture de sécurité. L'autre m'a pris le bras et m'a sorti en plein soleil avec une force de machine de chantier. Il y a eu un bruit à l'intérieur de mon épaule qui m'a fait la même douleur que la roulette du dentiste quand elle fore trop loin dans une dent cariée, avec son onde de douleur qui s'étire en deux fois – un premier élancement, suivi d'un instant indolore, suivi d'une perforation aiguë qui vous porte un coup de pied dans l'estomac. J'ai vu un poing, dans une mitaine noire, grossir, ma tête a basculé en arrière alors que quelque chose se brisait au fond de ma bouche, avec un son croustillant de coquille d'escargot broyée sous une semelle. C'était derrière moi, je n'ai rien vu, mais j'ai cru qu'un meuble en bois, le coin d'une commode s'écrasait au milieu de mon dos, puis au bord de mon champ de vision, il y a a

196

eu cette batte de base-ball en aluminium : elle reprenait son élan. Cette fois, la douleur était vide et, dans un silence grésillant, mon corps s'est raidi, il est devenu dur comme de la pierre. J'ai voulu prendre une grande respiration mais quelque chose était bloqué à l'intérieur de ma poitrine, qui empêchait l'air d'entrer. J'ai été pris d'effroi. J'ai essayé encore d'avaler de l'air et j'ai vu le pneu de ma voiture à quelques centimètres de moi, j'étais allongé sur la route, la joue contre le sol. J'étais tombé. J'ai regardé en l'air et j'ai vu, entre le cache-col et la visière de la casquette, l'œil mort, le grand front plat, hâve et immense, puis une chaussure brune, fouettant l'air en direction de ma bouche, comme une patte d'ours. À mon réveil, ma tête était appuyée contre un pied de maïs, une longue feuille verte et gondolée pendait au-dessus de moi, sa pointe recourbée me griffait le front. Je n'avais jamais ressenti cette soif. Rien qu'à imaginer un verre d'eau, mes nerfs vibraient. Mon corps rayonnait de douleurs. Je n'étais plus qu'un nid d'élancements. Une odeur d'urine écœurante planait autour de moi, la toile trempée de mon pantalon me collait aux fesses. Je tremblais, ma bouche tremblait, dans mon caleçon mon sexe tremblait. J'ai réussi à ouvrir un œil, un seul, une fente de lumière éblouissante. L'extrémité de mes doigts était noire ; dans ma confusion, je me suis dit que j'étais calciné, qu'on avait mis feu à mon bras. Mais j'ai compris que c'était seulement de la terre, que mes ongles avaient gratté le sol à la recherche de quelque chose. Un homme était agenouillé, penché au-dessus de moi. Son regard dégoûté me donnait une idée de mon aspect général. « Pauve gars... Putain d'carnage... C'est à gerber... » Il avait une barbe noire coiffée en une longue tresse, une veste en daim à franges et ce que mon père appelait l'élégance naturelle du barbier, un niqué… Tu finiras pas en chaise à roulettes! Ton prof de fac… celui qu'est tout l'temps assis en tailleur et qui nous casse les couilles avec ses dictons japonais, y t'aurait dit quoi, là? "Ferme les yeux et ta douleur sera un cerisier en fleur", ou une connerie dans l'genre…»

Dennis m'a étendu sur la banquette arrière, sur les cuisses en cuir crème de Margot. Il a glissé sous ma tête un coussin brodé d'un épi de maïs. J'ai mis de la terre et du sang partout, sans savoir le privilège que c'était de salir la banquette de la Chrysler de Dennis. J'ai senti une odeur âcre de pisse et j'ai eu du mal à respirer. J'avais des bouffées de terreur à l'idée que Dennis allait me conduire à l'hôpital de Princebourgh, dans une chambre ouverte à tous les vents, et l'autre se présenterait dans le hall d'accueil, et les infirmières et les médecins s'empresseraient autour de lui, le salueraient avec cette admiration inclinée, ce drôle de sourire servile qu'on adresse aux gens importants, et il se glisserait dans l'ascenseur avec son ventre gonflé de gras, il passerait par la porte entrebâillée son œil de soie rouge, son front plat, blanc, de plus en plus large et suant à mesure qu'il se pencherait au-dessus de mon lit, au-dessus de mes blessures bleu et noir, de mes taches de rousseur terrifiées. Il frapperait trois coups secs dans ses paumes et il sifflerait Tom, Tom, Tom, en quoi t'es fait, bon Dieu? En béton armé? En bite de bison? T'es vivant pour de bon? Avec tout ç'qu'on t'a mis dans la gueule? Ch't'avais pourtant d'mandé, Tom, de crever gentiment au bord d'la route… à l'ombre du maïs que tu dégueules… T'as pris l'temps d'réfléchir à tes bêtises? Tom, Tom, Tom… Chais comment tu l'as eu ton argent, moi! Y a pas d'secrets bien gardés dans l'Pierrier… Les nouvelles tournent aussi vite que les tourés… T'as écrit les paroles de cette espèce de chanson… La chanson qui traîne Buffalo Rocks dans la boue… Combien t'as été payé pour cette saloperie, dis ? C'est quoi déjà son nom à cette musique pourrie… avec des crécelles et tout ç'merdier d'Indiens ? *Popcorn Melody* ! C'est toi qu'as trouvé l'titre ou c'est une idée des Culs-Rouges ? T'as voulu t'battre conte le grand Buffalo ? Mais t'as oublié qu'y donne à bouffer à tout l'monde, ou quoi ? Faut un peu d'respect, Tom Samuel Elliott ! Ton père, lui, il avait du respect…

Dennis lisait dans mes grimaces.

« T'inquiète pas, vieux, j'vais monter la garde jour et nuit… Le premier connard qui fout les pieds dans ta chambre d'hosto j'ui présente Billy ! Regarde-le, regarde Billy ! Y tient dans la main et y fond dans l'crâne ! »

J'entrouvris un œil et je vis une arme très noire, vibrante et floue, dans une main dorée, couverte de bagues reliées par des chaînes qui pendaient et cliquetaient contre la crosse du revolver.

« J'le garde sur moi même la nuit depuis qu'un client s'est un peu énervé… Il a pigé qu'sa bouse allait rester une bouse et qu'elle s'rait jamais publiée… J'ui ai conseillé d'prendre la vie du bon côté… J'ui ai dit qu'avec le purin en boîte qu'il avait écrit, un quart de page dans l'*Cornado Sunday*, c'était déjà l'aubaine du siècle… que ça valait largement les 6 000 balles qu'y m'avait filées… Mais il a essayé d'me crever comme un canard, ç'te fils de coye !… Pour 6 000 balles, tu t'rends compte ? Les gens sont trop nerveux, Tom… Trop nerveux et trop toucaneux, comme dirait ta mère ! Heureusement, le gars visait droit comme le jet d'pisse de mon grand-père après son cancer d'la prostate…

Tout d'traviole! Il a tiré trois coups sans m'caresser une oreille! J'me suis barré en courant et c'est ma Chrysler qu'a trinqué pour moi: fenêtres, capot, pare-brise... Bam! bam! bam! Comme dans un western! Ce crêle a même chié sur la banquette avant! Tu t'rends compte? Un type que j'ai fait publier dans l'*Cornado Sunday*?»

Dennis a fait couler du Dry Corny dans ma bouche et j'ai senti son regard à travers mes paupières piquantes.

«J'l'ai là, ton roman... À côté d'moi! Normalement, j'les lis plus les bouquins qu'on m'envoie par la poste... Quitte à déterrer d'la merde, ch'préfère aller la chercher dans son milieu naturel... Au moins j'vois du pays et j'bavarde avec les gens! Ch't'ai lu à cause de la carte postale... Tu sais, la carte postale où tu résumes ton roman en une phrase! On vend pas du dentifrice, Tom! Qu'est-ce que c'est qu'cette histoire de résumer un livre en une phrase! C'est débile... Un vrai bouquin, même dix mille mots c'est pas assez pour en parler! On est assommé! On est enchanté! On bégaie... Tom, si un génie sortait par l'goulot d'ma bouteille de Cornado, là, tout de suite, j'ui dirais: Casse-toi, sale crêle! J'ai besoin d'rien! Mes chances de trouver une pépite d'or étaient plus étroites que l'cul d'une chèvre qui veut pas chier, et j'l'ai trouvée!»

La Chrysler a démarré en tremblant. Les vibrations me plantaient des flèches dans le torse. J'imaginais des Grandpas à cheval me poursuivant et visant mon corps avec leurs arcs. Je me concentrais sur les paroles de Dennis pour ne pas m'évanouir. J'avais l'impression d'avoir toujours entendu cette voix crasseuse et amicale.

«Tom, on va faire un rapide détour par Shellawick, tu veux bien? T'en fais pas, on s'ra discrets comme des coyotes… Faut pas qu'on tombe sur ta mère… J'la connais… Elle dirait qu't'as encore fait l'toucaneux avec le maire et qu'tu l'as bien cherché… Que t'as tout fait pour l'énerver! J'en ai pas pour longtemps, Tom… Bouge pas surtout… Fais l'mort… »

Une chanson de Michael Jackson sortait de l'autoradio et semblait venir d'un autre monde. *No one wants to be defeated / Showing how funky strong is your fight…* J'ai entendu des cris aigus de cour de récréation. Mes paupières étaient tellement enflées que j'ai à peine pu ouvrir un œil, tout était instable et aquatique. J'ai vu des bouches, des fronts et des nez ventousés à la vitre en face de moi. Les enfants avaient couru vers la Chrysler rutilante, aux enjoliveurs argentés, en forme de flocons de neige. Et maintenant ils me regardaient, agglutinés autour de la voiture, l'air effrayé et subjugué.

« Laissez-moi passer, les morveux! Ça pèse, un macchabée! Les gnomes, barrez-vous! »

J'avais trop mal pour garder l'œil ouvert. Je baignais dans un air noir où brillaient les visages fluorescents des enfants et la voix de Michael Jackson pleine d'à-coups dorés. J'ai entendu le coffre s'ouvrir, les cris des enfants qui demandaient si j'étais mort, c'est vous, m'sieur, qui l'avez tué? Puis il y a eu ce parfum, ce résumé de ma vie dans une respiration, l'huile de pied de bœuf et le souffle du cuir. La voiture s'est enfoncée d'un coup quand Dennis a posé le fauteuil de barbier dans le coffre. Mes larmes piquaient mes pommettes en sang.

Trois coups de feu et des cris stridents. Mon corps s'est raidi. Je me suis dit que la prochaine balle était pour moi. J'ai serré les mâchoires pendant que Michael Jackson terminait sa chanson… *Just beat it, beat it, beat it…*

La portière de devant s'est ouverte. La voix survoltée de Dennis a lancé à la cantonade : «Avec les compliments du Popcorn Kid!»

La voiture a démarré en trombe.

«Ça aurait été crête de pas en profiter… Y avait les deux! Juste en face! Devant l'supermarché Buffalo! Le maire et son frère! Bam! Bam! Bam! Une rotule! Deux rotules! Le pied droit! Chai qu'ton prof aurait dit: "Quand ton ennemi te frappe, c'est ton sourire en retour qui lui brise la nuque"… mais avoue qu'deux balles dans les j'noux et une balle dans l'pied, c'est encore mieux! Allez on s'casse de ç'bled pourri… J'vais t'faire un peu d'lecture pour pas qu'tu t'endormes… Faut pas t'endormir, Tom Elliott! On part à la conquête de l'Amérique…»

J'ai entendu un bruit de pages qu'on feuillette, comme du vent dans un arbre, et une toux sèche, un raclement pour s'éclaircir la voix.

«Je peux vivre n'importe où. Partout j'emporterai le Pierrier. Je ne parle pas du paysage, l'ennui plat, la splendeur noire, je parle juste du besoin d'être consolé. Je parle du chagrin d'être sans arbres et du sentiment accablant d'être arrivé trop tard, après la fin de l'histoire, après les mythes, après les chants et les Hommes, et de n'avoir aucun rêve, aucune famille possible. Je parle de la honte de vivre en sourdine, me laisser dépouiller, ne pas savoir sauver ma peau, ne pas tenter ma chance ailleurs, survivre sur les os brûlés des Anciens, et attendre sans fin le printemps.»

À nouveau, j'ai entendu ce bruit de pages qu'on feuillette, et la toux sèche. J'ai ouvert les yeux. M. Takemo était assis à côté de moi. Le vent soufflait dans l'érable. J'avais dormi longtemps et terriblement envie d'écrire.